Sibéria
São Petersburgo
Urais
Moscou
Kiev
RÚSSIA
UCRÂNIA
Astana
Mar Cáspio
Mar de Aral
CAZAQUISTÃO
MONGÓLIA
UZBEQUISTÃO
Khiva
Almaty
TURCOMENISTÃO
Bukhara
Bishkek
Karakol
Xinjiang
Urumqi
Teerã
Tashkent
QUIRGUISTÃO
Ashgabat
Samarkand
Kashgar
Turpan
Gaochang
Deserto de Gobi
Pamir
Deserto de Taklimakan
TADJIQUISTÃO
Karakoram Highway
Pequim
IRÃ
Herat
Cabul
Bamyian
Peshawar
Khunjerab
Isfahan
Xian
AFEGANISTÃO
Khyber
Islamabad
CHINA
Karakoram
Rio Indo
Kandahar
Tibete
Lahore
Quetta
Caxemira
Himalaia
PAQUISTÃO
NEPAL
Nova Delhi
Kathmandu
Karachi
Hyderabad
OMÃ
BUTÃO
Rio Ganges
BANGLADESH
ÍNDIA
MIANMAR
Mar da Arábia
LAOS
TAILÂNDIA
Oceano Índico

NAS FRONTEIRAS DO ISLÃ

OUTROS TÍTULOS DA COLEÇÃO VIAGENS RADICAIS

O navio de ouro, de Gary Kinder
Loucos por ti, América, de Margi Moss e Gérard Moss
De Londres a Kathmandu, de Marcelo Abreu
Aventura no topo da África – Trekking no Kilimanjaro, de Airton Ortiz
A volta por cima, de Margi Moss e Gérard Moss
Na estrada do Everest, de Airton Ortiz
Narcosis, de Carlos Secchin
Em busca da utopia kitsch, de Marcelo Abreu
Pelos caminhos do Tibete, de Airton Ortiz
Congelados no tempo, de Owen Beattie e John Geiger
O último mergulho, Bernie Chowdhury

A sair: *O mar esquecido por Deus*, Derek Lundy

VIAGENS RADICAIS

NAS FRONTEIRAS DO ISLÃ

Sérgio Túlio Caldas

UMA VIAGEM REVELADORA
POR DESERTOS, MONTANHAS
E ENTRE POVOS MUÇULMANOS

2ª EDIÇÃO

EDITORA RECORD
RIO DE JANEIRO • SÃO PAULO
2002

CIP-Brasil. Catalogação-na-fonte
Sindicato Nacional dos Editores de Livros, RJ.

Caldas, Sérgio Túlio
C15n Nas fronteiras do Islã / Sérgio Túlio Caldas. – 2ª ed. – Rio
2ª ed. de Janeiro: Record, 2002.
266p. : . - (Viagens radicais)

ISBN 85-01-06337-1

1. Caldas, Sérgio Túlio – Viagens – Países islâmicos. 2. Países islâmicos – Descrições e viagens. 3. Islamismo – Ásia, Central. I. Título. II. Série.

CDD – 915
02-0006 CDU – 915

Fotos do encarte (exceto quando indicado): Sérgio Túlio Caldas

Mapa de guarda: Alessandro Meiguins

Direitos exclusivos desta edição reservados pela
DISTRIBUIDORA RECORD DE SERVIÇOS DE IMPRENSA S.A.
Rua Argentina 171 – Rio de Janeiro, RJ – 20921-380 – Tel.: 2585-2000

Impresso no Brasil

ISBN 85-01-06337-1

PEDIDOS PELO REEMBOLSO POSTAL
Caixa Postal 23.052
Rio de Janeiro, RJ – 20922-970

Para
Camila, Julia, Lucia Porto e Nancy,
que me mostram o mundo com outros olhos.

"Minha religião é a religião do amor;
seja qual for o caminho que os camelos tomem,
esta é minha religião e minha fé."

Muhidin Ibn Arabi, mestre sufi, do século XII

Na China muçulmana, o jovem separatista da minoria uigur, que me acompanhou na cidade de Turpan, pediu para não revelar seu nome — o qual foi alterado.

SUMÁRIO

Parte Um

Paquistão

1

PESHAWAR, 1996

Acordei inquieto, de sobressalto, naquela madrugada de calor infernal que assolava a cidade de Peshawar, a noroeste do Paquistão. Meu endereço: um hotel de quinta categoria, sem placas que indicassem o número ou o nome do estabelecimento, na movimentada Saddar Road. Grudada na pele, a camiseta branca que eu não tivera força suficiente para arrancar antes de me jogar exausto na cama estava completamente encharcada de suor.

Já encardida pelas inúmeras vezes que fora lavada em pias de hotéis e beiras de rios, a malha remetia a um momento intrigante. Há quase dois meses, eu a recebera de um jovem que conheci num dos muitos e exóticos oásis de Xinjiang — o vasto e desconhecido território muçulmano controlado pela China.

Demonstrando a cordial hospitalidade de quem vive naqueles rincões asiáticos, Mohammad Abdul resolveu presentear-me com a camiseta antes de minha partida num ônibus velho e lotado que cortaria mais um trecho do selvagem oeste chinês. Não aceitar uma oferta naquelas paragens é uma ofensa. Apesar dos seus vinte e cinco anos, o olhar duro e as rugas profundas, que destacavam linhas na testa e nos cantos dos lábios, faziam Mohammad Abdul aparentar uns quarenta anos de idade. De chinês ele não tinha nada. A começar pelo nome.

Sua aparência e idioma lembravam as raízes de seus antepassados, vindos de tribos turcas que cruzaram longas distâncias para se fixar na região encravada entre fronteiras montanhosas e desérticas ao leste da Ásia Central.

Entre as muitas conversas que tivemos, em casas de chá onde apenas os homens se reúnem preguiçosamente durante todo o dia, ele me revelaria a opressão sob a qual seu povo vivia nas mãos dos chineses.

— Minha nação é o Islã. Somos muçulmanos e não gostamos dos chineses ateus. Em breve vamos nos tornar um país livre da China.

Mohammad Abdul fez-me outras confidências, contou sonhos. Muitos deles com ares proféticos. Mas aquelas foram as últimas palavras que ouvi dele, antes de amarrar minha mochila no alto da capota do rudimentar ônibus de fabricação russa e partir, mais uma vez, pelas estradas empoeiradas de Xinjiang.

Algumas semanas depois daquele encontro, já hospedado no quarto de paredes apertadas e mofadas na Saddar Road, abri os olhos com dificuldade. Ainda sonolento, não sabia exatamente se era o calor que me fazia transpirar em profusão ou se começava a sofrer os sintomas de uma febre repentina.

Durante alguns segundos, estirado na cama, meus olhos semicerrados perderam-se no teto encardido. Dali, pendia um ventilador velho e enferrujado sem nenhuma serventia para aplacar a temperatura que, mesmo à noite, parecia não baixar dos 40 graus centígrados.

Fiquei observando a seta mal traçada, riscada no forro do teto, que me chamara a atenção logo que entrei no quarto pela primeira vez. Já notara esse mesmo tipo de desenho em outros hotéis da região. Ele indicava a direção correta de Meca, a cidade sagrada dos muçulmanos. Trata-se, na verdade, de uma facilidade extra oferecida nas hospedarias. Dessa forma, o hóspede não tem dificuldade para descobrir a posição correta em que deve agachar, tocando joelhos e cabeça na chão, na hora de rezar e reverenciar o nome de Alá — Deus em árabe. Prega a tradição islâmica que no momento das orações, rigorosamente cumpridas cinco vezes ao dia, todo muçulmano deve ter o topo da cabeça voltado para Meca, na Arábia Saudita, o berço do Islã.

Mas o que me acordara de súbito, descobri num átimo, não fora nenhum delírio febril e muito menos a necessidade de localizar Meca no globo terrestre. A cama ao lado da minha, sem lençóis e forrada com um colchão ordinário de palha listrado de vermelho e branco, ardia em chamas.

— Mas o que está acontecendo?! — gritei, ainda naquele estado sonolento em que não se consegue identificar se está sonhando ou se está acordado.

Não era sonho. Marcelo Guedes, o cinegrafista que viajava comigo, também completamente fatigado por causa do dia de muita tensão e trabalho, adormecera com o cigarro Marlboro — "importado da América", como gostavam de assegurar os vendedores paquistaneses — entre os dedos. Uma brasa caiu da guimba e... pronto! O caos estava armado.

Uma semana antes do acidente, numa sexta-feita, eu andava pelas ruas da cidade notando como era difícil relaxar naquele lugar. Se não bastasse ser um fim de mundo dos diabos, tinha os céus rasgados a todo momento por aviões-caça da força aérea militar paquistanesa. O barulho dos rasantes era ensurdecedor.

Corria o mês de setembro de 1996. Há algumas semanas, um evento extraordinário vinha ganhando vulto perto dali e começava a esquentar a já agitada Peshawar. Estávamos no dia 27, e o que acontecia naquela data no vizinho Afeganistão mudaria de forma imprevista os rumos e os humores do mundo num futuro próximo.

Como era sexta-feira, o dia mais sagrado para o povo muçulmano, a movimentação dos homens apertando o passo em direção à mesquita mais próxima era intensa desde as primeiras horas da manhã.

Quando passava em frente a uma casa de chá com janelas amplas e abertas para a rua, o alvoroço lá dentro chamou-me a atenção. Resolvi entrar.

— *Salaam aleikum!* (A paz esteja com vocês!) — cumprimentei.

— *Aleikum salaam!* (E com você também!) — responderam muitos dos homens ali dentro.

"OK, estou em casa", pensei.

Mais do que simples saudação ou sinal de respeito, esse cumprimento comum em todo o mundo árabe funciona também como um código. Quando não é respondido imediatamente, o visitante não é bem-vindo.

Acomodei-me. Enquanto comia um delicioso pedaço de pão afegão, que se parece com uma massa de pizza, observava os movimentos do rapazinho franzino e de bigodes ralos fritando bolinhos de carne de carneiro num caldeirão imenso. Como eu, vários clientes sentavam-se em lótus sobre uma espécie de cama feita com cordas trançadas e amarradas a uma estrutura de madeira — que eles chamam *charpoi* e que serve, ao mesmo tempo, como mesa e lugar para tirar uma soneca.

De repente, o cozinheiro deixou seus afazeres para correr em direção ao rádio engordurado em cima do balcão. Afobado, aumentou o volume até ficar insuportável. O som saía numa irritante reverberação dos frágeis alto-falantes. Consegui entender as primeiras palavras do locutor. Primeiro, ele saudou repetidamente e até quase a exaustão o sagrado nome de Alá, o Deus a que todo muçulmano deve se submeter. Depois glorificou o nome de seu único profeta, Mohammed, ou Maomé para nós brasileiros. Após essa introdução, que mais se parecia com uma súplica, a notícia começou a ser transmitida. Provavelmente em *pashtu*, a língua dos patanes, etnia predominante na região.

— O que ele está dizendo? — arrisquei perguntar a um homem agachado próximo a mim que sorvia com calma o chá verde de uma enorme caneca. Sua barba tinha um estilo comum a paquistaneses e afegãos: comprida, porém sem o bigode, cuidadosamente raspado. Torci para que ele falasse inglês.

— *FRom wheRe you aRe, siR?* (De onde você é, senhor?) — devolveu ele a pergunta, porém sem mover a cabeça. Apenas virou os olhos para mim.

O sotaque era carregado no "r" e lembrava uma brincadeira de criança. Aquela que se reforça ao máximo a letra "r" na hora de falar: o rrato rroeu a rroupa do rrei de RRoma...

— *Brazil!* — falei.

Ser brasileiro em terras paquistanesas, eu já notara, era uma boa apresentação. Mesmo que pareçam obcecados apenas pelos ensinamentos do Alcorão, o livro sagrado do Islã, os paquistaneses gostam de futebol e admiram a seleção brasileira. Ingênuos em assuntos futebolísticos, eles nutrem a doce ilusão de que o Brasil ainda seja o melhor do mundo.

— *Aaachah! Aaachah!* — respondeu o paquistanês.

Embora mais de cinqüenta línguas sejam faladas no país, essa é uma expressão muito usada e compreendida em praticamente todo o Paquistão. Também comum entre os indianos e os nepaleses, falar "*aachah*" é o mesmo que dizer "OK", "tudo bem". O curioso é que essa locução pode mudar de significado. Tudo depende da forma, e da emoção, com que seja pronunciada. Por exemplo, se alguém solta um "*achaaa?*" na sua frente é o mesmo que estar perguntando, com ares de assustado, "é mesmooo?". Se um outro arregala os olhos e exclama "*acha-a-a!!!* está querendo dizer "estou cho-ca-do!"

— Espera, espera um pouco que te conto — continuou o muçulmano, fazendo sinal com o dedo indicador sobre os lábios cerrados para que eu não interrompesse a notícia que vinha do rádio.

— *Aachah!* Posso esperar! — disse.

"E que bom que vamos nos entender na mesma língua", pensei.

Depois de alguns instantes, enquanto o locutor da estação radiofônica estatal paquistanesa parecia perder o fôlego, já que não respirava entre as palavras que emitia feito metralhadora giratória, o homem agachado ao meu lado gritou atônito:

— Alá! Alá! Cabul acaba de ser tomada pelos talebans!

Na manhã de sábado, confirmei a notícia na primeira página do *Frontier Post*, um dos treze jornais publicados em inglês no Paquistão. Todos, porém, com pequena circulação. Nos dias seguintes, permaneci em Peshawar acompanhando de perto tudo o que acontecia no Afeganistão.

Voltei outras vezes àquela casa de chá. Lá, pedia traduções dos noticiários, também conversava com pessoas nas ruas e visitei um campo de refugiados. Por sorte, acabei fazendo amizade com um refugiado afegão, que me revelaria histórias fantásticas. Numa loja de fachada, onde ele se fazia passar por mero vendedor de belíssimos tapetes orientais, Mohammad Abdullah contaria como levava armamento clandestino a partir do Paquistão para alimentar a guerra civil no Afeganistão.

Corriam notícias sobre barbáries medievais praticadas na capital afegã. Ao tomar Cabul, os guerrilheiros talebans, que controlavam metade do país em 1996, começavam a impor a *sharia* — o severo código de leis e condutas muçulmanas.

Naquele 27 de setembro, o líder taleban, mulá Mohammed Omar, espalhava o terror sob a bandeira de estar fundando os alicerces "do Estado islâmico mais puro sobre a face da Terra". Ao invadir Cabul, a primeira medida que o mulá Omar tomou foi arrancar o ex-presidente

Mohammad Najibullah de um escritório da ONU, onde estava asilado desde a renúncia forçada em 1992.

Junto com o irmão Shahpur, Najibullah foi amarrado no pára-choque de um velho jipe soviético tomado durante a guerra contra os comunistas nos anos 1980. Depois, os dois foram arrastados vivos pelas ruas e vielas arruinadas de Cabul. Na praça central, sem julgamento, combatentes talebans enforcaram-os e depois incitaram a população a apedrejá-los.

Essas e muitas outras atrocidades que em pouco tempo tomaram conta dos noticiários eram narradas pelos refugiados afegãos com quem eu dividia bules de chá verde adocicado na casa de chá.

Proibidas de trabalhar, as mulheres só podiam sair às ruas acompanhadas de homens da família ou usando a burca — a opressora vestimenta que as cobre dos pés à cabeça. Os meninos não podiam mais jogar futebol, bolinhas de gude e soltar pipa. As meninas estavam proibidas de ir à escola e brincar de bonecas.

Na época era difícil acreditar nos relatos que eu ouvia de paquistaneses e afegãos. Mas, por causa da guerra, as fronteiras fecharam-se e, com elas, meus planos de chegar ao Passo Khyber, o desfiladeiro de onde se avista o Afeganistão — uma nação que, no passado, viu florescer escolas budistas e serviu de passagem a ricas caravanas em direção à Pérsia.

Estávamos a pouco mais de oitenta quilômetros do epicentro da guerra sangrenta que entrava numa de suas fases mais cruentas. Não era o momento para arrumar confusão com o pessoal da região — que andava a ponto de explodir por qualquer banalidade — ou se aproximar de tumultos, que explodiam pelos campos de refugiados e pelas ruas de Peshawar. E muito menos hora para atear fogo num hotel. Era hora de apagar qualquer sinal de fumaça!

Corri para o banheiro e, no escuro, descobri um balde. Enchi-o de água até a boca e atravessei o pátio correndo na esperança de dar fim às labaredas que ganhavam força sobre a palha seca do colchão. E que, pior, ameaçavam lamber as cortinas imundas do quarto. Mesmo assustado, minha primeira preocupação era não chamar a atenção dos funcionários, que roncavam a poucos metros do incêndio.

Dez baldes mais tarde, o fogo foi apagado. Restavam agora duas camas encharcadas de água, o cheiro de queimado impregnando o ar e ainda a fumaça exalando de dentro do pequeno quarto. Em silêncio, bastante apreensivos, torcíamos para que ninguém acordasse e fosse verificar o que estava acontecendo.

Dar uma de incendiário, num momento em que a guerra rolava solta no vizinho Afeganistão e os ânimos andavam especialmente acirrados em Peshawar, não era boa idéia. Naquele período de alerta máximo, as conseqüências de um prédio incendiado por estrangeiros recém-chegados à cidade eram inimagináveis. No mínimo, eles terminariam no posto policial mais próximo.

Para piorar a situação, o dono e os porteiros que se revezavam atrás do balcão na entrada daquele hotel de quinta categoria não eram nada simpáticos. O prédio mal-acabado dos anos 1960, sem reboco na fachada e com cinco lances de escadas estreitas pouco iluminadas que levavam aos quartos, também não tinha nada de acolhedor.

Uma cama queimada àquela altura poderia nos custar o que nem Alá imaginaria. Feitas as contas — não só as financeiras, mas também as do mau humor que certamente iria gerar nos porteiros nada amigáveis do hotel —, a melhor saída parecia ser a mais óbvia: escapar pela porta dos fundos, antes do amanhecer, quando os empregados ainda dormiam. Com o mau cheiro da fumaça que não se dissipava, para eles a primeira atividade do dia certamente seria investigar o que acontecia naquele quarto insuportável, agora ainda pior.

Era madrugada. A lua estava cheia, com um brilho exuberante que iluminava a noite. Isso dificultava nosso plano de escapar ainda na escuridão. Não queríamos lesar ninguém ou sair sem pagar. Afinal, a diária já estava acertada desde o dia anterior.

O desejo — ou melhor, a necessidade — naquele momento era fugir de qualquer tipo de conflito com os Mohammads locais. Mas a pressa em sair dali nos pregaria uma peça bem pesada logo em seguida.

Com a luz do quarto apagada, aproveitando a claridade suave do luar que penetrava pela porta entreaberta, arrumamos as mochilas, conferimos equipamentos e nos vestimos rapidamente. Por alguns instantes, me senti num filme de ação: um jornalista ocidental escapando de perseguidores com turbantes entre vielas sinistras e misteriosas em algum lugar perdido no Oriente, em plena época de guerra. Mas o que acontecia estava longe de ser ficção. Havia tensão em cada esquina naqueles dias em que Cabul era saqueada e invadida pelos talebans.

Meu velho amigo e companheiro de viagem, o cinegrafista Marcelo, trinta e quatro anos completados dias atrás em terras paquistanesas, vivia uma experiência especialmente particular. Eu o convidara para documentar a jornada a menos de dez dias do meu embarque para a China. Como era sua primeira viagem para fora do Brasil, eu imaginava que a aventura estava sendo inesquecível. Ainda mais agora, que ele precisava contar com a sorte para escapar de uma enrascada no Paquistão.

Lá fora, a madrugada mantinha-se firme, sem sinais das primeiras luzes do dia. Dei uma última olhada do alto do terraço. As ruas de Peshawar dormiam, abandonadas. A mesquita, do outro lado da rua, ainda mantinha suas portas enormes fechadas. Com as mochilas nas costas e as mãos ocupadas com equipamentos, descemos lentamente os cinco lances de escadas. O cérebro dava ordens insistentes para que as pernas não tremessem: qualquer tropeção seria um desastre.

Por sorte, a porta estreita do hotel que dava para a rua estava sem a tranca. Puxei-a lentamente. Ouviu-se um leve rangir. Com dois passos largos e decididos alcançamos a rua. Mais um lance de sorte: naquela hora, em que não havia uma só alma viva pelas ruas, um velho riquixá — o barulhento veículo motorizado de três rodas, com guidom de bicicleta e cabine na parte de trás para dois passageiros — vinha descendo a Saddar Road em nossa direção. Fiz sinal com a mão.

Mal ele estacionou, jogamos nossa bagagem no banco de trás, onde Marcelo se acomodou, bastante apertado. Sentei na frente, dividindo o pequeno assento com o motorista. O objetivo era seguir para a rodoviária da parte antiga da cidade, onde tentaríamos pegar o primeiro microônibus com destino a Islamabad — o ponto final da Karakoram Highway, a estrada que estávamos percorrendo desde a fronteira chinesa. Planejávamos conhecer a capital paquistanesa, cidade com incrível semelhança a Brasília, já que começara a ser construída nos anos 1950 para ser a sede do governo. Em 1961, Islamabad estava erguida.*

— Por favor, leve-nos até a rodoviária que fica na parte velha da cidade — pedi ao motorista, em inglês.

— ...

Como não ouvi nenhuma resposta, repeti o pedido.

— Rodoviária, por favor!

— ...

Nada. Logo percebi que ele não entendia uma só palavra em inglês! Como precisávamos sair dali o mais rápido possível, mesmo que fosse em qualquer direção, apontei adiante e apenas disse, com uma voz decidida:

— *Go! Go! Go!*

Enfim, ele saiu. Acionou a primeira marcha do veículo e seguimos pela madrugada, cuspindo fumaça pelas ruas desertas de Peshawar.

*Ou, pelo menos, parte dela, uma vez que não foi finalizada.

Arrisquei falar em monossílabos. Mas nem mesmo palavras que eu imaginava serem facéis para ele reconhecer, como *bus* ou Islamabad, foram entendidas. Apelei para a mímica, fazendo gestos indicando que queríamos pegar um ônibus, apontava para nossas malas de viagem, voltava a repetir a palavra "*bus, bus!*". Minha paciência passava dos limites.

De qualquer forma, não podia negar que o sujeito era divertido. Mirrado, quase sumindo dentro de um larguíssimo e esgarçado *shalwar qamiz*, a tradicional vestimenta paquistanesa — calça larga e túnica de mangas longas —, ele fazia as mais curiosas caretas tentando entender-me. A cada uma de minhas tentativas, ele arregalava os olhos em minha direção, depois mexia as sobrancelhas para cima e para baixo. Outras vezes, balbuciava qualquer coisa em pashtu, creio eu, a língua dele. Coçava a cabeça. Mas continuava acelerando o barulhento riquixá pela cidade.

Rodávamos sem rumo, até que a "conversa" chegou num ponto em que acreditei ter sido compreendido. Pelo menos ele passou a dirigir com confiança, com ares de quem "sabe para onde está indo".

Não demorou muito, a paisagem de Peshawar começou a mudar. As vielas apertadas, os prédios baixos sem pintura com três ou quatro andares, as pequenas lojinhas amontoadas uma ao lado da outra foram ficando para trás. No seu lugar, surpreendentemente, surgiam casarões cercados de muros altos, ruas largas e asfaltadas. Um cenário inimaginável na região, castigada pela pobreza e pela falta da mais elementar infraestrutura, onde esgotos corriam abertos pelas ruas.

Atrapalhado, nosso motorista simplesmente tinha nos conduzido para o bairro elegante reservado a embaixadores, militares de alta patente e autoridades do governo paquistanês. A finalidade era simplesmente chegar na rodoviária e, de repente, rodávamos feito baratas tontas num setor de alta segurança militar.

Um programa nada recomendável para dois estrangeiros fazerem justamente numa época em que a polícia paquistanesa impunha-se com bastante rigidez. Afinal, havia guerra no vizinho ao lado e ações terroristas já pipocavam nas regiões fronteiriças entre o Paquistão e o Afeganistão.

Não dava para imaginar como fomos parar ali, sem que cruzássemos barreiras de segurança. Logo uma delas surgiu. Acabamos de fazer uma curva numa avenida larga e arborizada e lá estava a cancela, abaixada. Fechada para nós.

Nosso motorista reduziu, o motor respondeu com um som abafado, os freios rangeram e, lentamente, o riquixá foi perdendo velocidade. Eram cerca de cinco horas da manhã. O sol ainda não havia nascido. Um militar bigodudo saiu da guarita. Vestido numa farda camuflada do exército, parou diante da cancela. Com uma das mãos segurando a metralhadora *kalashinikov* pendurada no ombro, esticou o outro braço e fez sinal para que parássemos.

De perto, vi que tinha um bigode realmente muito grande e engordurado nas pontas. Sem rodeios, ele foi rasgando uma ordem, com aquele singular inglês carregado nos erres.

— *What aRe you doing heRe, you foReign?* (O que vocês estão fazendo aqui, seus estrangeiros?)

Antes de tentar encontrar qualquer argumento tolo que, pelo menos, pudesse esticar a conversa com o soldado, li uma mensagem num plástico colocado no pára-brisa do táxi, do lado do passageiro: "*In any case, pray and call the Highest, the Almighty Allah.*" "Em caso de problemas, ore e peça socorro ao Supremo, ao Onipotente Alá." Mas não houve tempo para orações.

A ordem do militar veio em seguida, de forma rápida. Ele falava num inglês tão confuso, tão sem verbos, que já pressentia que a comunicação não seria das mais facéis. Mas era melhor me esforçar e passar a entendê-lo. E assim foi.

— Desçam! Desçam do táxi ime-dia-ta-men-te! E podem despejar tudo o que estiverem carregando aqui no chão.

— Tudo? — arrisquei a primeira palavra na esperança de iniciar um diálogo.

— Sim! Não me ouviu? Tu-do!

— Mas é muita coisa que estamos carregando...

— Não importa. Tirem o que estiver no riquixá e ponham aqui no chão. Quero averiguar o que carregam.

— Somos apenas turistas conhecendo seu maravilhoso país. E acabamos nos perdendo no caminho para a rodo...

— Ah... eu sei... turistas?!

— Sim, do Brasil. *South America*...

A cara daquele militar não era de muitos amigos. Ele começava a falar mais alto.

— Passaportes!

Enfiei a mão num bolso da jaqueta e retirei meu passaporte. Marcelo estendeu o dele.

— Vocês estão no Paquistão há quase um mês?! O que tanto lhes interessa aqui?

— Viemos para viajar pela Karakoram Highway, fazer *trekking* nas montanhas... — eu explicava pausadamente para que ele me entendesse.

— Ah é?! E o que fazem aqui em Peshawar justamente nessa área de segurança militar? Como entraram aqui sem ninguém ver?

A conversa começava a complicar, a tomar um rumo que poderia escapar do meu controle. Os passaportes, agora fechados, foram guardados... no bolso dele!

Não bastasse aquele clima apreensivo, outra confusão se armava. Aos berros, o homem de uniforme camuflado iniciava uma discussão com o taxista num dialeto absurdamente incompreensível. Exaltados, os dois gritavam, gesticulavam, não chegavam a um acordo. De repente veio a ordem para o pobre condutor do riquixá, a qual pude entender pelo tom de ameaça:

— Entre já no riquixá e desapareça daqui!

"Epa!", pensei, "se o motorista for embora, aí sim é que nossa esperança de escapar daqui vai acabar."

Naquele lugar ermo, e sendo interrogado por um militar que começava a se exaltar, como sair da encrenca e ir embora?

— Não! — segurei o motorista pelo braço.

— Ele fica! — emendei, encarando firme nos olhos do militar. E, ao mesmo tempo, passando a mesma ordem ao taxista.

— OK! Então vão abrindo as bagagens e espalhando tudo no chão. Tudo!

Olhei para o Marcelo e vi um fio de suor, fino e gelado, escorrendo do canto de sua testa. Era nas mochilas que morava o perigo. Certamente, seus conteúdos seriam a arma do crime contra nós. Lá dentro, câmera fotográfica, lentes, equipamento de vídeo, 72 rolos de filmes, fitas de vídeo, blocos de anotações. Era muito material para simples turistas.

E havia coisa pior. Desde nossa chegada ao Paquistão, após atravessar os colossais 4.730 metros do Passo Khunjerab, na fronteira com a China, tínhamos gravado dezenas de imagens de pontes pela estrada. Frágeis, porém corajosas diante da grandiosidade das maiores montanhas do mundo que se erguem nas cadeias do Himalaia, do Pamir e do Karakoram, as pontes cruzavam rios, uniam estradas, elevavam-se entre precipícios gigantescos.

Consideradas zonas de segurança máxima, as pontes paquistanesas são expressamente proibidas de ser filmadas ou fotografadas.

Medida de segurança fácil de compreender. Nas mãos de terroristas, tais imagens poderiam servir a planos de atentados, que causariam catástrofes nas frágeis redes de transporte e de comunicação do país. Sem falar que, sem pontes, cidades e povoados inteiros ficam isolados e, junto com eles, as diversas etnias que vivem nas regiões montanhosas paquistanesas. Não foram raras as vezes em que pessoas locais chamavam nossa atenção pelo simples fato de pegarmos o equipamento de foto ou de vídeo quando o ônibus se aproximava de alguma ponte. Mas aquelas obras monumentais eram um atrativo e tanto. Assim, não economizamos sorte e nem sola de sapato para escalar montanhas e, do alto, registrar a beleza de inúmeras pontes: lá embaixo, solitárias, elas serviam de elo às estradas que pareciam voar sobre os vales.

Assim como as pontes, também é proibido filmar ou fotografar mulheres. Nas zonas rurais, muitos homens simplesmente colocavam-se diante de nossas câmeras caso alguma mulher passasse por perto. E delas, também tínhamos imagens de sobra. Muitas até em *close*, usando burcas, ou mesmo com os rostos descobertos. E como se não bastasse, em uma das fitas estava gravado o depoimento de Mohammad Abdullah, o refugiado afegão, relatando como fazia para atravessar ilegalmente a fronteira carregado de armas para a guerra no Afeganistão. Caso as autoridades paquistanesas assistissem a tal entrevista, estaríamos colocando Abdullah numa grande enrascada. E, conseqüentemente, nós também. Marcelo havia registrado ainda reveladoras imagens de uma passeata no centro de Peshawar, onde paquistaneses e refugiados afegãos apoiavam abertamente a tomada de Cabul pelos talebans. Na época, o Paquistão preferia esconder publicamente seu apoio militar à invasão da capital afegã.

Tínhamos tudo, ou quase tudo que era proibido filmar, segundo as leis islâmicas, militares e éticas do Paquistão.

"Com que próposito, vocês estrangeiros, gravaram tais imagens? E para que servem?", imaginei que policiais paquistaneses nos indagariam isso. A história poderia dar voltas inimagináveis. Ou seja, carregávamos muita sujeira para quem se passava por meros turistas aventureiros naquela região esquecida do velho oeste asiático.

Fiquei ali parado, estático, imaginando o que fazer ou dizer, quando ouvi o militar advertir:

— Ei!!! O que você está pensando? Eu mandei esvaziar as bagagens!

Desde o momento em que eu tinha feito sinal para o riquixá na Saddar Road até aquele instante — parado diante do militar e sua ameaçadora *kalashinikov* — as horas pareciam ser as mais longas dessa viagem. O sol ainda não tinha surgido.

Não havia saída nem desculpas. Esparramamos nossa bagagem: calças, camisetas, bermudas, meias, agasalhos, livros, toalhas, jornais. O que não estava amassado, precisava urgente de uma boa lavada. Havia ainda lembranças compradas ao longo da viagem, principalmente na China, para presentear amigos: lindas peças de seda, um par de xícaras de chá pintado a mão, imagens de buda e um maravilhoso *doira* — instrumento de percussão muito popular na Ásia Central, feito com couro de carneiro e parecido com nosso pandeiro, porém muito maior.

Espalhávamos nossas coisas no chão, sob o olhar atento dos paquistaneses — a essa altura o taxista também já andava bem interessado em ver o que aqueles ocidentais carregavam numa bagagem de viagem —, até que chegou a hora de despejar o que mais temia. Carregadores de bateria, extensões elétricas, um tripé, um gravador cassete, pilhas, diversas fitas de vídeo, os rolos de filme, as câmeras e as lentes estavam ali, expostas, como que falando: "Nos demos mal... muito mal..."

— Mas o que é isso? — o militar arregalou os olhos, que, grandes e redondos, ficaram maiores ainda, enquanto a outra mão alisava o avantajado bigode ensebado.

— São câmeras de vídeo e de foto, lentes, filmes... — respondi pelo caminho mais óbvio possível. Que mais poderia dizer?

— Mas é muito material para quem é apenas turista! — disse, já com ares de quem começava uma investigação.

Houve um silêncio dramático. Meu olhar desviou-se para o condutor do riquixá. Ele estava ali estático, tremendo como um bambu. "Onde fui me meter? Quem são esses gringos criminosos? Agora eu vou para a cadeia e minha vida terminou", pelo medo que ele transparecia descaradamente, imaginei seus pensamentos.

— Hum... acho que tudo isso deve ser examinado no posto policial. Devem ter coisas interessantes gravadas nessas fitas. Vai ser curioso assistir — continuou o homem da *kalashinikov*, ameaçador.

Ao meu lado, Marcelo esvaziava os últimos bolsos da mochila. E então surgiu um pacote, de difícil identificação à primeira vista, muito bem embrulhado em folhas de jornais chineses. Com um sinal imperativo com os olhos, compreendemos que o militar exigia que o pacote fosse desfeito. No meio da papelada, surgiram duas belas adagas uigures, bem maiores e mais largas que um punhal, com lâminas brilhantes, produzidas a partir do mais fino aço.

Os cabos eram de madrepérola com arabescos, que lembravam finos desenhos da Idade Média, cuidadosamente entalhados. O povo muçulmano uigur, a minoria étnica chinesa que domina a região de Xinjiang desde tempos remotos, é famoso em toda a Ásia Central pela confecção de adagas.

No passado, quando a antiga Rota da Seda vivia seu auge — o que durou até a descoberta dos caminhos marítimos, no século XV —, mercadores dos reinos mais distantes atravessavam desertos e desfiladeiros da Ásia Central para adquirir as fabulosas peças uigures.

Ele examinou a adaga, e colérico — o que piorava ainda mais sua pronúncia em inglês — emendou:

— E como é que você pode explicar isso? Além de tudo, vocês estão armados!

É. Estávamos mesmo enrascados. Só um milagre poderia nos tirar daquela sinuca que se armava contra nós.

2

Tempestades a Caminho

Olhei para o taxista e até ele, que um minuto atrás fora repreendido e parecia um rato assustado, agora me indagava com os olhos:

— E aí? Não vai explicar?

Ele tinha passado a gostar do clima de tensão, mais especificamente do apuro em que os estrangeiros estavam se metendo.

Nunca fui do tipo valentão ou daqueles que se precipitam para resolver problemas usando a violência. Mas nunca havia experimentado tanta vontade de partir com os punhos cerrados para cima de alguém como sentia ao ver o mirrado taxista paquistanês a poucos passos à minha frente.

Aquele ser, que tinha cruzado nosso caminho na Saddar Road, estava prestes a se tornar o responsável pelo encerramento catastrófico de uma viagem que se mostrava extraordinária pelas suas revelações. E mais do que isso. As conseqüências, caso fôssemos para um posto policial, examinassem o conteúdo das fitas de vídeo e descobrissem minha ocupação de jornalista (eu viajava com visto de turista e tivera o cuidado de registrar-me nos hotéis como comerciante) eram inimagináveis.

— E então, você já furou quantas pessoas pelo caminho? — perguntou o militar, teatralizando a conversa. Segurou uma das adagas com a mão direita e deu um golpe rápido e seco no ar, como se estivesse esfaqueando o inimigo pela barriga.

— Não, não! Isto não é uma arma.

— Ah, não?! E o que é então? Um cortador de unhas?

— É uma peça de artesanato. É um tipo de faca, muito famoso, fabricado há séculos pelos chineses. Estamos levando para dar de presente — tentei explicar.

O homem balbuciou algo em seu incompreensível pashtu, dialeto falado na região fronteiriça entre o Afeganistão e a Província da Fronteira Noroeste, uma das quatro províncias paquistanesas, da qual Peshawar é a capital. Permaneceu ali, testando calmamente o fio do aço superamolado. Primeiro pressionou a ponta da "arma" nas pontas dos dedos para sentir o quanto estava afiada. Depois, passou-a levemente no pescoço para sentir a frieza do aço. A representação teatral estava indo longe demais.

— Dinheiro? Vocês têm?

Senti que o milagre de nossa salvação começava, enfim, a se revelar.

Lembrei-me do plástico colado no pára-brisa do riquixá: "Peça socorro ao onipotente Alá, aquele que está acima de tudo."

— Sim, claro que temos algum dinheiro. Estamos viajando. E bem longe de casa.

— Posso ver?

— Tudo bem.

— Quanto vocês têm?

Enfiei a mão na pequena bolsa que carregava presa ao corpo e debaixo da camiseta. Com os dedos já treinados durante a viagem, tateei as rupias, tendo cuidado para não pegar *traveller's checks* e muito menos as notas de dólar. Como tinha o costume de deixar separado o dinheiro local para pagar pequenas contas — quando se está na estrada, não é recomendável ficar mostrando dinheiro em lugares públicos —, não tive dificuldade para encontrar as notas paquistanesas.

Contei o dinheiro sob os olhos atentos do guarda. Não havia mais que o equivalente a 100 dólares no amontoado de rupias. Tive o cuidado de não passar o montante para ele, apesar de seu braço, com a mão aberta, ter se esticado em minha direção.

— É tudo que temos.

A conversa estava se alongando demais. Mas eu suspeitava que começávamos a ganhar terreno naquela nova negociação. Enquanto admirava as adagas, os olhos do paquistanês brilhavam. A perfeição, a beleza e a qualidade do aço das adagas uigures são mesmo muito atraentes. Se nem de longe elas eram uma arma para nós, para ele pareciam ser. Eu tinha que ser rápido.

— OK! Este é um belo presente para você — arrisquei.

Como não houve reação da parte dele, continuei:

— Na China, essas facas custam muito dinheiro. Fique com elas que lhe serão muito úteis.

"Sabe Deus que uso você pretende dar a elas", pensei com meus botões.

Ao mesmo tempo em que falava, amontoava roupas e equipamentos sem critério algum nas mochilas. Sem querer perder a condição de superior diante de nós, o militar ainda me deu uma encarada para mostrar quem era a autoridade ali. Estiquei o braço e, com a mão aberta à sua frente, indiquei que queria os passaportes de volta.

Empolgado demais com seu mais novo objeto, ele agora parecia até desprezar aqueles sujeitos "problemáticos". Seus olhos permaneciam vidrados nas adagas. Era hora de, novamente, agir com rapidez.

Apressei-me em entrar no riquixá, chamando o motorista e o Marcelo para assumirem seus postos. O pequeno taxista paquistanês pôs as mãos no guidom e acelerou para longe da cancela. Ainda dei uma última olhada para trás e pude ver o bigodudo ajeitar as adagas por dentro da calça.

Enfim, achamos o caminho para a rodoviária. O sol, agora, apontava no horizonte feito uma grande laranja. Seria mais um dia de calor insuportável. Mohammad Akhbar — não pude deixar de anotar na minha caderneta o nome daquele motorista atrapalhado — nos deixou na parte antiga de Peshawar, onde caminhamos entre vielas estreitas e ruas repletas de ônibus, riquixás, carroças e lojinhas. Cruzamos um aglomerado de homens metidos até o pescoço em seus *shalwar qamiz*, indo e vindo sabe-se Alá para onde.

Mulheres, quase não se viam. As poucas que perambulavam pelas ruas não passavam de meros fantasmas, sem rosto e sem formas, escondidas e privadas do convívio social dentro de suas burcas.

Ao meio-dia, sob a "lua" ardente, e ainda estressados com os acontecimentos das últimas horas daquela inesquecível madrugada, nos acomodamos em pé numa *van* lotada, espremidos de tal forma que dava para sentir o bafo quente do passageiro ao lado.

O cheiro não era nada agradável. Numa região onde há tremenda escassez de água e a temperatura nessa época do ano chega fácil aos 45 graus centígrados, não se pode sonhar em viajar num ônibus confortável cheirando a lavanda. Nosso destino: Islamabad, viajando para o leste, naquela mesma e desconfortável posição por pelo menos três horas. Se tudo corresse bem.

Um trovão ensurdecedor ecoou pelos vales que se abrem ao longo da estrada que parte de Peshawar em direção a Islamabad. O período das monções já havia passado, mas uma chuva forte anunciava-se no céu tomado por nuvens cor de chumbo, que deslizavam rapidamente em nossa direção. Nos campos de trigo espalhados por ambos os lados da pista de asfalto estreito, agricultores apressavam-se em procurar abrigo. Por uma nesga da janela, via-se o vento rasteiro lá fora, levantando poeira, também sugerindo que o temporal estava se armando. Em questão de minutos, o tempo viraria de vez.

— *Stop! Stop! Please!* — gritei, observando as caras de espanto dos passageiros. O motorista deu uma freada brusca. Lembrei-me que toda nossa bagagem, jogada na parte de cima da *van* coreana, estava descoberta, sem um plástico para protegê-la do aguaceiro prestes a desabar.

— *Excuse me! Excuse me!* — Pedi licença e saí... pela janela!

Onde eu me encontrava, longe da porta e pressionado por uma massa humana compacta, aquele era o único e mais curto caminho para chegar do lado de fora do veículo. Subi no teto do lotação e comecei a cobrir as mochilas com um pedaço de plástico preto e bem resistente comprado semanas antes no milenar Mercado de Domingo, em Kashgar, na China, justamente para ocasiões como aquela.

E então o aguaceiro despencou. Antes que conseguisse apertar o último nó na corda para prender o plástico, que ia garantir bagagens secas no final do trajeto, já me encontrava encharcado. Do alto da *van*, olhei para a estrada solitária — repleta de enormes crateras cobertas de água enlameada. Ao longe, Peshawar desaparecia aos poucos na cortina de fumaça formada pela chuva pesada do início da tarde.

Lá atrás, agora castigada pela chuva grossa e repentina, a cidade seguiria o mesmo destino que há centenas de séculos a história lhe tem imposto. Continuaria com suas esquinas aflitas, que nunca sabem qual será o próximo passo político dos governantes e dos vizinhos; com o ar morno e abafado nos dias de calor; com as animadas casas de chá servindo chá verde, pão afegão e bolinhos de carne de carneiro. Continuaria com seus velhos carros e ônibus buzinando para abrir espaço entre riquixás, carroças e bicicletas; com multidões de homens reunidos em mesquitas e nas ruas de comércio; com bazares vendendo belíssimos tapetes afegãos; com mulheres anônimas vagando dentro das burcas.

Também ao longe — certamente se abrigando do temporal —, o militar de bigodes ensebados se manteria em posição de sentido e com a mesma falsa imponência. O mesmo homem, que horas antes nos havia barrado por invadirmos uma área de segurança militar, mas que não titubeara em libertar os "transgressores" em troca de um simples par de adagas. Ele, por si só — ao mesmo tempo tão ameaçador com sua *kalashinikov* pendurada no ombro direito e tão vulnerável a propinas estrangeiras —, representava um dos retratos mais fiéis da corrupção em que o país está mergulhado.

Molhado dos pés à cabeça, desci do teto da *van* e, com a ajuda de alguns solícitos passageiros, dobrei as costas, curvei a cabeça e retornei pela janela estreita.

— *Shukria! Shukria!* — agradeci ao motorista em voz alta, dizendo obrigado em pashtu só pelo prazer de falar alguma coisa no dialeto daquela gente. Vi sorrisos se estampando nos rostos escondidos atrás de barbas longas. Era uma reação espontânea e até divertida. Apertei-me mais uma vez entre os passageiros. O motorista arrancou.

Nem mesmo a chuva forte que caía lá fora me distraía das lembranças daqueles últimos dias em Peshawar, quando ficara tão próximo de uma guerra desprezada pelo mundo. Afinal, naquele setembro de 1996, quem se interessaria por um bando de malucos reunidos num grupo recém-formado chamado taleban, que vinha cometendo atrocidades contra mulheres e crianças, contra o povo afegão e os direitos humanos? Quais jornais ou emissoras de televisão dedicariam espaços valiosos em seus editoriais para cobrir tais acontecimentos num local tão inóspito e tão distante?

Comecei a sentir um certo desconforto. Não por estar ali espremido, molhado, ainda distante de um hotel, de um banho e de uma sopa quente de legumes que, se tivesse sorte, seria servida sem óleo ou pimenta em excesso.

Meu desconforto, na verdade, surgia da proximidade que experimentava em estar tão perto daquele mundo repleto de violências provocadas por razões religiosas.

A República Islâmica do Paquistão nasceu conturbada, em 1947, sob a égide de um "Estado muçulmano puro". Depois de muito sangue derramado, separou-se da Índia, de maioria hindu. Desde então, paquistaneses e indianos nunca mais viveram em paz, motivados principalmente pela disputa da região da Caxemira, onde residem muçulmanos e hindus.

Nos tempos de fartura, há mais de mil anos, a região onde hoje está o Paquistão encontrava-se no caminho da Rota da Seda. A antiga capital Peshawar fervilhava com o movimento incessante de pessoas vindas de terras estrangeiras: ali funcionava um dos pontos de parada das caravanas de mercadores em direção ao atual Afeganistão, Turquia, Pérsia, Índia, China e muitos reinos distantes na Ásia Central.

A história paquistanesa, ainda tão recente, narra golpe atrás de golpe, protestos, guerras, intrigas, imposições religiosas e corrupções nas esferas do governo. É um país onde 152 milhões de habitantes vivem no limiar da asfixia. A renda *per capita* de seus cidadãos não chega a 500 dólares, índice menor que o de países pobres como a Albânia, o Congo e a Guiné. Mais de 60% de todo esse contingente populacional não sabem sequer ler ou escrever o nome. Apenas 1% dessa gigantesca nação comparece aos bancos para pagar seus impostos.

É um país que tem vivido sob o espectro da inconstância. O que causa profunda tristeza quando se conhece a exuberância de seus interiores e a hospitalidade de sua gente, que não merece estar abandonada à própria sorte. Já havia lido em diversos relatos de viajantes que o Paquistão era dono de uma das paisagens mais belas do mundo. Mas constatar isso pessoalmente foi uma experiência marcante. Há uma rica diversidade cultural e ambiental entre as montanhas da região norte, onde vivem pessoas extremamente generosas.

Um dos momentos mais exuberantes dessa viagem, e que jamais esquecerei, foi quando o ônibus fez uma curva fechada entre abismos de centenas de metros e, de repente, os 8.126 metros do Nanga Parbat, a oitava maior montanha do mundo, se agigantaram à nossa frente, subindo ao céu.

— Não posso acreditar nessas surpresas da Karakoram Highway! — falei emocionado ao Marcelo, que viajava do meu lado.

— É simplesmente inacreditável o que estou vendo! Uma montanha colossal em meio a um vale verdejante. Parece cena de cinema... — Marcelo estava atônito com a paisagem.

Pois é num trecho daquela rodovia, no vale do Hunza, que estaria oculta a lendária Shangri-lá. Uma lenda que é sustentada por quem vive ali, conforme ouvi de pessoas com quem conversei nos vilarejos das redondezas. Não foi à toa que, no início dos anos 1930, o escritor James Hilton inspirou-se na beleza do Hunza para escrever o famoso romance *Horizonte perdido*, adaptado por Frank Capra para o cinema e refilmado nos anos 1970, com enorme sucesso.

É ainda nesse país, berço da antiga e avançada civilização hindu, que se encontram as gigantescas cadeias montanhosas do Himalaia, do Karakoram, do Hindu Kush e do Pamir. Ao Leste, próximo à fronteira com a China, eleva-se a soberbos 8.611 metros o K2, o segundo maior pico do mundo depois do monte Everest.

Esse fantástico potencial turístico proporcionado pela natureza, no entanto, permanece praticamente desconhecido. É explorado apenas por viajantes que se aventuram — geralmente por conta e risco próprios — para testemunhar a generosa oferta de paisagens deslumbrantes espalhadas pelo país.

Até o momento, os chefes de Estado têm virado as costas para tais riquezas para se ocupar em surpreender os paquistaneses, e o mundo, com os mandos e desmandos de seus governos. Não é preciso voltar muito no tempo para mostrar os rumos escolhidos por eles.

Nos últimos vinte e poucos anos, o Paquistão vem sobrevivendo a um turbilhão de crises e golpes. Há casos de crueldade, como o da morte do presidente Zulfikar Ali Bhutto. Após sete anos no governo, Bhutto foi derrubado por um golpe militar em 1977, arquitetado pelo general Mohammad Zia-ul-Haq. Dois anos depois, o ex-presidente foi condenado a uma pena brutal: a execução por enforcamento. Acusado da morte de um político, provas legítimas contra Bhutto ainda não foram apresentadas.

Foi durante o governo de Zia, aliás, que o Paquistão começou a apoiar guerrilheiros muçulmanos que lutavam no Afeganistão contra o regime afegão pró-soviético e as tropas da antiga União Soviética.

Nesse período, o islamismo radical ganhou força interna no país e os Estados Unidos, na permanente luta contra o comunismo russo, passaram a derramar dinheiro fácil em mãos paquistanesas. Dessa forma, como se fosse por procuração, o governo Ronald Reagan, que havia adotado políticas de endurecimento com a União Soviética, bancava o conflito no Afeganistão.

"Centenas de milhões de dólares afluíram. A corrupção era farta demais; o Estado tornara-se uma empresa criminosa", descreve o escritor britânico de família hindu V.S. Naipaul, prêmio Nobel de Literatura, no livro *Além da fé*, onde faz duras críticas ao Paquistão. "O país tornou-se um satélite dos Estados Unidos; seus vários regimes foram amparados ao longo de toda a guerra fria. Não desenvolveu uma economia moderna; porque não sentiu essa necessidade."

Mas, como uma ironia no mundo masculino e fechado do Islã, seria justamente uma mulher que tentaria mudar os rumos do país. Em abril de 1986, a filha do presidente executado, Benazir Bhutto, até então figura de pouca expressão política, retorna depois de longo exílio na Inglaterra. Sua missão era reorganizar o Partido do Povo do Paquistão (PPP) e conseguir apoio de políticos e do povo paquistanês para exigir a deposição de Zia e proclamar eleições livres no país.

Com receio de ser traído por sua própria cúpula, Zia, num ato que causou surpresa até mesmo aos assessores mais próximos, resolveu demitir o então primeiro-ministro, Mohammed Khan Junejo, homem de sua total confiança. Mais ainda, dissolveu a assembléia por conta própria, sem pedir conselhos ou avisar seus ministros. Poucos meses depois da atitude repentina, o presidente Zia morreria num acidente ainda inexplicado — ou nunca tornado público — em agosto de 1988. Ele e outros cinco generais, além do embaixador norte-americano no Paquistão, morreram quando o avião militar no qual viajavam despencou próximo à pequena cidade de Bahawalpur, no Punjab.

Mistérios à parte, o PPP de Benazir Bhutto fortalecia-se a partir de uma coalizão com diversas forças do governo. Em 1º de dezembro do mesmo ano, numa atmosfera de euforia nacional, Benazir Bhutto ganhou as eleições e foi nomeada primeira-ministra. Para os regimes radicais do Islã na Ásia e no Oriente Médio, acostumados a subjugar as mulheres, Benazir não era bom exemplo. Ela acabara de entrar para a história como a primeira mulher a governar um Estado muçulmano.

Desde sua posse, Benazir experimentou o peso da briga que comprara: para toda e qualquer decisão política tomada havia sempre acirrada oposição dos chefes militares. Em Islamabad, não cessavam acusações de corrupção contra sua equipe de governo. Seu emprego não era lá muito formidável para uma mulher de trinta e cinco anos, sem experiência política, e ainda com um bando de militares mal-humorados às suas costas verificando cada passo que dava.

Uma das primeiras medidas do governo Benazir fez arrepiar a barba de muitos chefes tribais. Ela declarou guerra aberta contra o lucrativo mercado de heroína — o que lhe rendeu, na verdade, uma série de ameaças de morte. Pressionada pelos governos das quatro províncias paquistanesas — formadas pelo Baluquistão, ao oeste, com capital em Quetta; Punjab, ao leste, capital Lahore; Província da Fronteira Noroeste, ao noroeste, capital Peshawar; e Sindh, ao sul, capital Karachi —, seus programas sociais e econômicos foram sabotados. O custo de vida e a inflação dispararam em todo o país.

Na política internacional, Benazir dava passos tão largos quanto seus generais permitissem. Sem seu consentimento direto, na guerra travada entre o Afeganistão e a União Soviética, que se arrastou de 1979 a 1989, os Estados Unidos entregavam armamentos a guerrilheiros muçulmanos anti-soviéticos em território afegão, contando com a ajuda indispensável da inteligência militar paquistanesa. Muitos dos soldados, que os próprios norte-americanos apoiaram no passado, acabaram tornando-se seus inimigos na linha de frente do taleban.

— Não cederei a pressões nem entregarei o poder. Temos muito o que fazer para tornar o Paquistão um país democrático — costumava Benazir dizer para quem se encontrava no seu gabinete em Islamabad.

Não bastassem tantos problemas, entre 1989 e 1990, centenas de pessoas morreram durante revoltas populares e ações terroristas envolvendo principalmente etnias *sindhi*, *pashtu* e *mohajir* nos centros urbanos de Karachi e Hyderabad. Enquanto isso, a indústria do seqüestro tornava-se uma prática cada vez mais crescente na província de Sindh, terra natal de Benazir.

Com tanta pressão, em agosto de 1990 o presidente Ghulam Ishaq Khan finalmente deu por encerrado o conturbado governo de vinte meses de Benazir Bhutto, sob acusações de nepotismo, corrupção e abuso de poder. O marido da ex-primeira-ministra, o empresário Asif Ali Zardari, foi preso, acusado de seqüestro e extorsão. Sem prova alguma contra ele Zardari penou durante dois anos atrás das grades.

— Esta história não ficará assim. Em nome da memória de meu pai, Ali Bhutto, continuarei lutando contra a corrupção enquanto tiver forças — exclamava Benazir a seus assessores.

Na roda de quedas e sucessões, agora era a vez de Nawaz Sharif, um próspero homem de negócios, tornar-se primeiro-ministro. Para agradar à ala fundamentalista, Sharif reforçou imediatamente a aplicação das leis islâmicas no país. A justiça ganhava reforços dos juízes que julgavam em nome de Alá.

O respeito do primeiro-ministro com os dogmas do Islã, no entanto, estava longe da dignidade. Em pouco tempo, o Paquistão mergulharia ainda mais no mar de lama que o atolava. Em 1991, o país seria sacudido por avalanches de notícias sobre empréstimos ilegais de bancos a empresas de Sharif.

Sua família e funcionários do governo estavam envolvidos nas fraudes. Pouco antes do escândalo, o governo norte-americano resolveu cortar a polpuda soma de 564 milhões de dólares do programa de ajuda econômica e militar, como represália ao programa paquistanês da bomba nuclear.

A Guerra do Golfo, ainda em 1991, somada ao corte financeiro do governo de Washington, criou sentimentos anti-Estados Unidos entre grupos radicais paquistaneses, provocando o afastamento imediato do país de turistas estrangeiros, trabalhadores de organizações humanitárias internacionais e missionários. Ondas de violência se multiplicavam por toda a parte.

Naquele mesmo ano, o esfacelamento da União Soviética espalharia estilhaços sobre o Paquistão. Com o fim da potência soviética, além da perda de interesse tanto dos Estados Unidos quanto da ex-URSS pelos conflitos no Afeganistão, o Paquistão começou a perder sua imagem de aliado importante para fins estratégicos no continente asiático.

A década de 1990 não prometia ser das melhores. Outro desastre estava na iminência de acontecer. Porém, este não seria provocado pelas mãos do homem.

No segundo semestre de 1992, durante uma viagem de cem dias a alguns países do sudeste asiático, conheci um colecionador de pedras alemão chamado Max Schwaderer. Encontrava-me num hotel no oásis de Jaisalmer, à beira do deserto indiano de Thar, que se estende até o Paquistão.

— Você está sabendo da tragédia no Paquistão? — perguntou-me Max.

— Tem chovido bastante por lá. Mas os jornais locais não informam com precisão — respondi.

Na época, ficar atualizado em certos lugares da Ásia exigia boa vontade. Emissoras de televisão, quando havia, funcionavam precariamente durante poucas horas do dia. TVs via satélite eram raríssimas. Internet era ficção. As notícias chegavam por meio de conversas entre viajantes.

— Hoje pela manhã consegui telefonar para um amigo que está em Islamabad — continuou Max.

— E...

— Ele contou que o país está em calamidade. Está sofrendo com a maior enchente do século!

Durante duas terríveis semanas de setembro de 1992, as monções massacraram vales e montanhas paquistaneses. Vilarejos inteiros foram soterrados por deslizamentos de pedras e lama. Na Caxemira, a fúria das águas arrancou pontes, deixando a população sem comunicação, remédios e comida.

Os rios Indo, Jhelum, Chenab, Ravi e Sutlej corriam agitados, provocando destruição pelas centenas de povoados e cidades que atravessavam. Milhares de pessoas tinham morrido e mais de um milhão de paquistaneses perdiam suas casas. Campos de algodão e de arroz estavam arrasados.

Indiferente ao infortúnio que pairava sobre o Paquistão, o primeiro-ministro Nawaz Sharif preferiu não adiar um antigo compromisso de sua agenda religiosa. Junto com amigos e gente da família, partiu para cumprir a *hadji*, a peregrinação à cidade sagrada de Meca.

A atitude de desprezo de Sharif provocou revolta popular, que acabou capitalizada por Benazir. À frente de uma grande marcha, vestida com um colete à prova de balas e com o rosto metido numa máscara de proteção contra bombas de efeito moral, ela entrou em Islamabad exigindo a reformulação do governo.

Nascida numa das famílias mais ricas do Paquistão e educada em escolas norte-americanas e inglesas, Benazir estava de volta às atividades políticas. Mais uma vez se tornaria primeira-ministra, ocupando o cargo entre 1993 e 1996. Contudo, seu governo terminaria novamente com um balanço trágico. Demitida pelo então presidente Farooq Leghari, veria seu irmão Murtaza Bhutto ser assassinado pela polícia.

O nome de Benazir foi exorcizado da política paquistanesa. Alguns analistas políticos acreditam que ela representou uma das poucas oportunidades que o Paquistão teve para modernizar-se. Em junho de 2001, um tribunal de Rawalpindi, cidade vizinha a Islamabad, condenou a ex-primeira-ministra a cinco anos de prisão por corrupção. Fato que a fez perder uma longa batalha judicial travada contra seu sucessor Nawaz Sharif.

Seu marido Ali Zardari recebeu a mesma pena, e os dois foram multados em 8,6 milhões de dólares cada um. O casal é acusado de receber milhões de dólares em comissões por contratos do Estado com empresas suíças — acusação que Benazir garante ser mais um capítulo da perseguição política sofrida por sua família desde a execução do pai.

O mesmo tribunal ordenou a detenção imediata de Benazir, caso regresse do exílio que impôs a si própria. Ela vive entre Dubai, nos Emirados Árabes, e Londres.

A condenação da ex-primeira-ministra ocorreu a partir de uma lei elaborada pela administração militar do general Pervez Musharraf, que tomou o poder em 1999, após derrubar o mais recente governo de Nawaz Sharif.

Na entrada do terceiro milênio, mais uma vez o Paquistão meteu-se numa sinuca ao apoiar os Estados Unidos nos bombardeios sobre o Afeganistão. O presidente Pervez Musharraf passou a ser odiado por parte da população, simpática ao regime taleban.

De amigo, aliado e protetor do taleban, o Paquistão passou ao papel de algoz no conflito, cedendo aos Estados Unidos informações vitais que resultaram no esfacelamento das mílicias talebans em novembro de 2001. Criados em madrassas paquistanesas, as escolas corânicas, milicianos daquele grupo costumavam ser enviados pelo governo paquistanês para aterrorizar indianos da Caxemira.

Com isso, o governo de Washington foi obrigado a suspender as sanções econômicas impostas ao Paquistão desde 1998. Naquele ano, ignorando apelos internacionais, os paquistaneses autorizaram seis explosões nucleares subterrâneas no deserto da província do Baluquistão. Era uma reação aos testes feitos pela Índia no mesmo ano.

Mas em nome de uma amizade de ocasião, o presidente Bush teve de trocar gentilezas e apertos de mão com o ditador Musharraf. Um homem que chegou à presidência por meio de golpe militar e, até os atentados de Nova York, apoiava fanáticos religiosos afegãos.

E os mesmos militares da Aliança do Norte, que marcharam sobre Cabul em novembro de 2001, foram derrotados por milicianos sustentados pelo governo paquistanês, na década de 1990. Para combater o taleban a Aliança recebeu apoio dos norte-americanos e, de certa forma, do Paquistão. Mesmo assim, Abdullah Abdullah, o chanceler da Aliança do Norte, fez questão de mandar um recado claro ao vizinho do leste, assim que entrou em Cabul: "Nosso futuro, sob nenhuma condição, será decidido em Islamabad."

Em 1996, quando o taleban acabava de tomar o poder e perseguia seus inimigos, que fugiam para as montanhas, a *van* na qual eu era passageiro seguia em direção a Islamabad. Duas mulheres que viajavam isoladas no fundo do veículo passaram a me incomodar, profundamente. Cobertas, seguiam lado a lado, quietas, sem fazer um só movimento.

Elas me perturbavam porque eu não podia ver seus olhos ou mesmo saber a cor de suas peles, se eram jovens ou velhas. Se tinham o semblante sereno ou endurecido pela vida. Chocava-me o fato de elas serem parte do triste batalhão de mulheres-fantasmas, uniformizadas à força em suas burcas, como seres sem valor algum na vida.

A cena atordoava. Em muitos dos povoados rurais por onde passei, não foram raras as vezes que vi mulheres cobertas com o rosto colado em paredes. Vendo-as naquela posição humilhante, aprendi que elas aguardavam o marido, ou um homem da família, terminar algum compromisso. Depois, seguiam-lhes como um cão desprezado pelas ruas.

Outras vezes, desrespeitadas de forma cruel, permaneciam agachadas na porta de uma loja, com a cabeça voltada para o chão, imóveis, enquanto o marido fazia compras. Em restaurantes que permitiam a entrada de mulheres, havia um reservado especial para elas: uma cabana de tecido sempre escuro, onde uma fresta servia para o garçom enfiar o braço e entregar a comida. É um mundo de homens. Onde apenas homens conversam, tomam chá nas ruas, viajam apertados nos ônibus. Onde apenas homens saem para orar nas mesquitas.

A visão daquelas mulheres era o retrato do lado mais sombrio do Islã, que eu tinha vivenciado especialmente naquele momento na região fronteiriça do Paquistão. Um lado que as câmeras de TV escolheram para captar em tempos de guerra contra o terrorismo. E que, de forma apressada e muitas vezes preconceituosa, associaram todo o Islã ao fundamentalismo mais radical.

Mas, àquela altura da viagem, eu já sabia que ali estava apenas uma das muitas faces de Dar el-Islam, o mundo muçulmano. Anos mais tarde, eu testemunharia uma impressionante diversidade do Islã em ex-repúblicas soviéticas. Onde o lado mais místico da religião de Maomé sobreviveu ao ateísmo dos muitos anos de regime comunista.

Parte Dois

Ásia Inexplorada

3

Vejo Você em Tashkent

O calendário anunciava o inverno do ano 2000. Mas São Paulo acordara desconfortavelmente quente, com o ar abafado. Era um sábado de agosto. Olhei o céu pela janela e lá estava ele, plúmbeo e baixo. O tempo não estava nem um pouco convidativo para passeios. Escolhi ficar em casa e continuar adiante com minhas pesquisas.

Afastei livros, fotografias, correspondências e blocos de anotações da mesa de meu escritório para estender o mapa-múndi. Meus olhos percorreram os seis continentes cercados por mares e oceanos, como se estivessem simulando um sobrevôo pelo mundo. Viajaram pela América, depois Antártica, África, Europa, Oceania e, por fim, Ásia — o maior de todos eles.

Entre seus limites — dos montes Urais, na fronteira com a Europa, até quase tocar a América, no estreito de Bering, no lado leste — caberiam todos os 53 países africanos e ainda sobraria espaço suficiente para acomodar a gélida Antártica. Naquela imensidão de terra, apinhada de centros urbanos caóticos, mas também coberta por vastos desertos e montanhas colossais, onde a vida humana é quase impossível, acomodam-se mais da metade dos habitantes do planeta: 3,6 bilhões de pessoas.

Observando o mapa, desloquei a atenção para um passado muito distante. Para a época em que a Terra, da forma como a conhecemos hoje, começou a ser formada.

Há quatrocentos milhões de anos existia apenas um único supercontinente chamado Pangéia. Depois de sucessivas fragmentações, que levaram mais de 300 milhões de anos, fabulosas extensões de terra foram se dividindo até resultar na atual disposição dos continentes e dos oceanos. Foi o período em que descomunais cordilheiras asiáticas, como o Himalaia, o Hindu Kush, o Tian Shan, o Karakoram e o Pamir elevavam-se do chão, provocando avalanches e terremotos estrondosos.

Era exatamente por aquele trecho asiático que agora meus dedos deslizavam, tateando montanhas, países, cidades, vilarejos e estradas, experimentando distâncias, avaliando dificuldades no terreno. A música inspiradora de Nusrat Fateh Ali Khan preenchia o ambiente do escritório.

Nusrat, falecido em 1997, foi um virtuose artista paquistanês, responsável por modernizar e difundir além dos limites muçulmanos o *qawwali*, a música devocional de um braço do Islã, o sufismo. Essa ordem, tão antiga quanto o próprio Alcorão, é o lado místico da fé muçulmana.

Seus seguidores acreditam que o encontro com Deus pode ocorrer por meio de experiências pessoais sob os conselhos e a condução de um mestre espiritual. O transe pela música, pela dança ou pela poesia seriam alguns dos caminhos para se alcançar a consciência do divino. De forma inesperada, em breve eu me encontraria com um sacerdote sufi num santuário próximo ao deserto de Kyzyl Kum, no Uzbequistão.

Naquele momento, mapas e músicas da distante região apenas faziam parte de um pequeno ritual que me preparava para reencontrar, mais uma vez, os recônditos da Ásia Central. Antes da primavera, no início de setembro, eu partiria sozinho numa jornada pelos inóspitos territórios das ex-repúblicas soviéticas, um dos lugares menos explorados da Terra — um vasto território rico em culturas milenares, que permaneceu oculto do mundo durante o século XX, graças ao isolamento imposto pela mão de ferro do comunismo soviético.

Suas fronteiras só se abriram recentemente, após o colapso da ex-União Soviética, em 1991. Vítima da distância forçada com o mundo e das lentes nervosas das câmeras de TV em busca de guerra e miséria, imagina-se que ali existam apenas conflitos, desertos e uma gente iletrada vivendo como nômades miseráveis. Não poderia existir imagem tão falsa como essa.

A Ásia Central, também conhecida como Turquestão, lança suas fronteiras para além dos limites da antiga União Soviética. Estende-se por milhares de quilômetros desde o mar Cáspio, no oeste, até a Mongólia, no leste. Ao norte estão as florestas da Sibéria e, ao sul, a extensa cordilheira do Hindu Kush. Ali se encontram os cinco novos países surgidos no início dos anos 1990: Uzbequistão, Quirguistão, Cazaquistão, Tadjiquistão e Turcomenistão; além da região autônoma de Xinjiang, no oeste chinês, e o Afeganistão.

É uma imensidão de 7,5 milhões de quilômetros quadrados, área equivalente ao tamanho da Austrália. Dominam a paisagem cinco grandes desertos, de nomes tão peculiares quanto eles próprios: Gobi, Taklimakan, Lop, Kyzyl Kum e Kara Kum. Ao longe, quando a vista alcança além das estepes de grandiosas extensões, elevam-se a mais de sete mil metros de altitude alguns dos picos mais altos do planeta. Apesar das dificuldades impostas pela natureza, civilizações avançadas já se movimentavam por ali há pelo menos cinco mil anos.

Os países, os territórios e o povo que habita esse pedaço de terra, mesmo com seus conflitos e suas diferenças culturais, no fundo parecem compartilhar de um só espírito. De um mesmo karma, ou baraka — essa, uma palavra árabe a que alguns povos muçulmanos do deserto dão um significado inalcançável. Dizem ser uma denotação do destino, mas não aquele traçado pelas mãos dos homens, mas sim o conduzido pelos desígnios do único Deus, Alá.

As afinidades históricas, religiosas e comerciais são algo de extraordinário na região. Por mais de dois mil anos, seus cenários serviram de palco principal para as enormes caravanas que cruzavam a Rota da Seda, a primeira via de acesso por terra entre o Oriente e o Ocidente.

Mercadores, soldados, príncipes, bandidos, artistas, missionários, aventureiros, reis, homens santos e cientistas de reinos distantes cruzaram por esse caminho, trocando experiências, multiplicando idéias e misturando seus sangues. Em tempos de guerra e em tempos de paz. Ao longo dessa artéria comercial, povoados e cidades cosmopolitas desenvolviam-se. Isso resultou no atual caldeirão de etnias e culturas, ainda em constante ebulição.

Entre os séculos VII e VIII foi a vez de chegarem os soldados árabes, convertendo pela ponta de suas espadas cidades inteiras, aldeias e nômades às leis do sagrado Alcorão. Avançados centros de estudos budistas e hindus foram massacrados pelo caminho em nome de Alá e de seu profeta Maomé, o mensageiro de Deus.

No entanto, vários lugares da Ásia Central foram alcançados não apenas por invasores árabes armados, mas por sábios sufistas. Vindos principalmente da antiga Pérsia, eram peregrinos que carregavam nada mais que uma túnica de lã e a fé religiosa dedicada à meditação e à contemplação como caminho para libertar a alma.

Em meados do século XIX, toda a região transformou-se numa espécie de grande tabuleiro, onde ingleses e russos tentavam esquadrinhar o mais rápido possível porções territoriais que pretendiam conquistar. Dois impérios em expansão: a Rússia desejava estender suas fronteiras e a Coroa britânica defender a colônia indiana de possíveis invasões russas.

Os britânicos chamaram esse conflito de Grande Jogo, enquanto os russos o denominaram Torneio de Sombras. Uma espécie de guerra fria, em que as duas potências ficaram trocando farpas mas não obtiveram sucesso algum na conquista de cidades estratégicas. Ao final do século XIX, deixaram de lado suas intenções expansionistas.

Na Ásia Central — o antigo corredor terrestre que serviu aos primeiros encontros, e também desencontros, entre o Oriente e o Ocidente —, meu destino era percorrer o Uzbequistão e o Quirguistão — dois países que representam o espírito desse trecho asiático.

O Uzbequistão é a nação mais populosa do lugar, além de ser a mais central geograficamente. Sua população é de 23 milhões de pessoas e, desde meados da década de 1990, está à frente de uma articulação para criar um mercado comum entre as cinco ex-repúblicas soviéticas. Culturalmente mais fortes, os uzbeques possuem um surpreendente nível de educação, com índice de analfabetismo zero. Não há uma só criança fora da escola.

Já o Quirguistão é a mais rural entre as ex-repúblicas. Com 90% do território ocupados por montanhas, é morada de um povo de hábitos nômades em pleno terceiro milênio. São descendentes de mongóis, que chegaram ali por volta do século XII e ainda circulam pelos vales férteis, mudando de lugar de tempos em tempos em busca de boas pastagens para os animais. O quirguiz vive às voltas com uma natureza selvagem, praticamente intocada.

Entre os uzbeques, como eu ouviria deles mais tarde, há um certo receio com um pequeno trecho na fronteira sul, divisa com o Afeganistão. Eles temem que ali seja criada uma base de influência do fundamentalismo muçulmano. Outro temor é o frágil vizinho Tadjiquistão, vulnerável ao fundamentalismo. Os tadjiques vivem sob a tensão da guerra entre forças comunistas e grupos islâmicos, que arrasou o país entre 1992 e 1997. Bases militares russas permanecem em território tadjique, mas nada aliviam. Atentados continuam pipocando na capital Dushanbe.

O Uzbequistão e o Quirguistão foram de extrema importância na Rota da Seda. Eram o meio do caminho, o centro da barreira natural que separa o Ocidente e o Oriente. Naquele trecho estão algumas das mais prodigiosas cidades da via comercial, que deixaram uma herança cultural e arquitetônica sem igual no mundo.

Com a viagem, eu cumpriria mais uma etapa do trabalho que vinha realizando sobre a antiga rota comercial e religiosa. A estrada que seduziu Roma com a beleza desconhecida da seda, espalhou a fé de grandes religiões pelo mundo e, ainda, foi percorrida pelo veneziano Marco Polo em uma das mais fascinantes aventuras de todos os tempos.

Até então, eu já tinha cruzado, sempre por terra, de carro, trem, bicicleta, ônibus e certos trechos a pé, toda a imensidão da China e as arriscadas montanhas do Paquistão. Dessa vez, teria pouco mais de trinta dias de férias na revista Terra, onde trabalhava como editor. Resolvi dedicar os tão esperados dias de descanso para voltar ao meu projeto. Bem organizada, seria uma viagem possível de cumprir naquele prazo apertado. Mas na estrada, eu sabia, o inesperado sempre acontece. É o que torna, na verdade, as jornadas mais emocionantes. E assim seria naqueles dias entre setembro e outubro de 2000.

Levava comigo algumas missões. Registraria o dia-a-dia da viagem para a Rádio Eldorado, iria captar com um gravador digital músicas *in loco* para um programa de cultura étnica da Rádio USP, da Universidade de São Paulo, e ainda faria uma reportagem especial com texto e fotos a ser publicada assim que retornasse.

Como sempre, talvez seja um erro, bagagem de viagem é algo que nunca me preocupa. Se vou fazer uma viagem de cinqüenta quilômetros, ou mesmo para algum país distante, acabo sempre arrumando tudo poucas horas, quando não minutos, antes de partir.

Importo-me mais em pesquisar para onde estou indo, descobrir algum livro de um escritor local. A literatura, às vezes mais que os guias de viagem, é a melhor trilha para se compreender uma cultura e o que pensam as pessoas que você encontrará pelo caminho.

Levaria comigo estritamente o básico. Além da pouca roupa, um *sleeping-bag* para suportar as baixas temperaturas, um bom par de botas para longas caminhadas em terrenos inóspitos e meu canivete suíço, de mil e uma utilidades — que agora não pode mais ser levado em avião desde que os aeroportos reforçaram o esquema de segurança após os atentados de 11 de setembro em Nova York e Washington. E, claro, equipamento de fotografia, gravador, blocos de anotações, canetas e alguns livros.

Dez dias antes de embarcar, atarefado na redação com reportagens para finalizar, pautar fotógrafos e colaboradores para a revista, marquei um almoço com um grande amigo, um dos viajantes mais inveterados que conheço. Toni Nogueira, um cinqüentão mais jovem que muito garoto de vinte anos, fez sua primeira longa viagem no início dos anos 1970 e nunca mais se distanciou da estrada. Na época, juntou-se a um grupo de amigos para fazer um filme em 16 mm sobre a aventura de quatro brasileiros, ele incluso, numa viagem entre a Europa e o Nepal — a mítica travessia cultuada por *hippies* e jovens europeus da época. A jornada levou quase três anos e incluiu uma demorada estada no Afeganistão, a qual Toni me relataria em conversas emocionadas sobre como era a vida naquele país há trinta anos.

Depois dessa aventura, ele viveu outras como músico profissional em Nova York e presidente de escola de samba em Manhattan. Voltou ao Brasil só em meados dos anos 1990 e, desde então, continua tocando e fazendo documentários de viagens culturais para sua produtora em São

Paulo, a DGT Filmes. Ou seja, não arredou o pé da estrada nem a mão da batucada.

Nosso almoço seria rápido. Eu estava ansioso em contar-lhe meus planos. Tínhamos combinado o encontro num pequeno, porém simpático, restaurante vegetariano no bairro de Pinheiros. Quando cheguei, um pouco atrasado, ele me esperava conversando animadamente com um dos garçons. Deveriam estar contando alguma piada, tamanha era a altura das risadas. Puxei uma cadeira, fizemos o pedido e me apressei:

— Estou prestes a realizar uma viagem fantástica — iniciei a conversa.

— É mesmo? E para onde você vai desta vez?

— Ásia Central. Precisamente para o Uzbequistão e o Quirguistão. O que inclui cruzar trechos do Cazaquistão e do Turcomenistão para chegar em algumas cidades que planejo visitar.

Farejando que aquela aventura teria algo de muito especial, ele arregalou os olhos, curvou-se sobre a mesa em minha direção e soltou uma frase repentina, absolutamente sem nenhum tipo de análise:

— Vou com você!

— Como assim?

— Ora, estou indo com você! Acabo de decidir neste instante!

Em seguida, ainda mais curioso, indagou:

— Onde exatamente ficam o Uzbequistão e o Quirguistão? Fazem fronteira com que países?

Era o velho Toni em cena, animado com viagens que têm a emoção das aventuras, que conduzem a descobertas.

Abri a agenda que carregava, fui até as últimas páginas e mostrei-lhe o mapa da Ásia.

— Mas o que te interessa por lá? — continuou.

— Vou dar seqüência ao trabalho sobre a Rota da Seda. É um dos trechos mais importantes dessa via.

— Legal. Estou nessa. Vou levar meu equipamento de vídeo e assim daremos continuidade às imagens que você já captou entre a China e o Paquistão, não é mesmo?

— Claro! Mas o tempo está curto. Você tem menos de duas semanas para preparar passaportes, passagens, quais equipamentos levar. dinheiro...

Depois de pouco mais de uma semana estava tudo acertado. A viagem agora contava com um cinegrafista. Sem tempo hábil para conseguir passagem no mesmo vôo, combinamos de nos ver dentro de poucos dias no aeroporto da capital uzbeque, Tashkent.

Nunca havia marcado encontro num lugar tão distante.

4

Uzbequistão

O mês de setembro iniciou com um clima bastante agradável. Não fazia frio, muito menos calor. A cerejeira no fundo do quintal, cuja fartura de frutos rendem deliciosas geléias nessa época do ano, tinha amanhecido antecipando a primavera e estava com as pontas dos galhos cobertas de brotos.

Enfim chegou o dia 4 e, ao final da tarde, às seis horas, eu embarcaria num vôo da British Airways em direção a Londres. O dia transcorreu mais rápido que o esperado.

Quando dei por mim, o sol descia avermelhado, mergulhando na Marginal Tietê. O rio Tietê fazia-se notar doente, exalando poluição e descaso ambiental — desagradável retrato de como é tratado o principal centro econômico do país. Semelhantes ao rio, as pistas nos dois sentidos da via expressa estavam estagnadas, congestionadas de carros, caminhões e ônibus conduzidos por motoristas impacientes.

Acomodado no banco da frente do táxi — um Santana protegido

por fitinhas do Nosso Senhor do Bonfim amarradas no retrovisor e pela imagem de São Cristóvão, o protetor dos motoristas, colada no painel —, procurava distrair-me do trânsito. Visto da janela do carro, que disputava cada metro de asfalto para chegar a tempo ao Aeroporto Internacional de Guarulhos, aquele pôr-do-sol trazia certo conforto. Lançava a mesma quietude que se sente nos fins de tarde em qualquer lugar da Terra.

Cheguei atrasado ao aeroporto. A fila formava-se enorme em frente ao balcão da companhia aérea. Alinhei-me atrás de malas, carrinhos carregados com bagagens pesadas, mulheres com crianças no colo, senhores de terno, jovens em festa, gente se despedindo e tirando fotos de recordação. Fiquei com a horrível sensação de ser o último da fila e perder a reserva do vôo para Londres.

Sem se fazer notar entre a confusão de passageiros, um funcionário da British Airways, vestido num terno com as cores da bandeira da Inglaterra, surgiu à minha frente:

— O senhor está indo para Londres?

— Claro. Por quê?

— Posso ver sua passagem?

— Não venha me dizer que o avião está lotado...

— Você quer ganhar duzentas libras?

— Duzentas libras? Quem não quer? — respondi, apenas para ver onde iria chegar a conversa.

Um pouco aflito, o rapaz disparou:

— Estamos no *overbooking*. O vôo está cheio e tem pessoas que precisam estar em Londres amanhã cedo sem falta. Por isso, oferecemos um hotel cinco estrelas aqui perto do aeroporto e mais duzentas libras para gastar na Inglaterra.

— Caso eu aceite, quando viajo?

— Amanhã, neste mesmo horário.

— Não, obrigado. Tenho um compromisso urgente em Tashkent e não posso chegar atrasado.

— Ta-Tash..., o quê? — gaguejou.

— Tashkent, no Uzbequistão.

— Onde? — fez cara de que continuava não compreendendo.

Como ficou confuso, o funcionário da companhia despediu-se e, pude ouvir, iniciou a bateria de perguntas atrás de mim. A fila continuava crescendo.

— Você está indo para Londres? Quer ganhar duzentas libras?

A garota de cabelos ruivos cortados junto à nuca, jaqueta de couro, calças *jeans* grudadas no corpo e trejeitos de modelo parecia estar gostando da idéia. Mostrou a passagem, coçou a cabeça com as pontas das unhas grandes recém-pintadas de marrom.

Era o sinal da dúvida. Antes que ela desistisse, o rapaz acenou para um senhor do outro lado do corredor, provavelmente o motorista da empresa:

— Por favor, leve essa senhorita para o Hotel Deville. Ajude-a com a bagagem — respirou fundo e continuou o trabalho:

— E o senhor? Vai para Londres?...

Quando faltavam uns trinta minutos para o avião decolar, cheguei ao guichê. Entreguei passaporte e bilhete aéreo. Era um dos últimos a ser atendido.

— A essa altura, será que ainda consigo um lugar na janela? — brinquei com a atendente atrás do balcão.

A garota achou graça. Abriu meu passaporte, conferiu as passagens e respondeu com um belo sorriso:

— Não, não temos mais vagas na classe econômica. Mas se você não se importar, podemos trocar o lugar na janela por um assento no corredor da executiva. Topa?

A viagem começou bem. Com o vôo lotado, a companhia precisou remanejar alguns pouquíssimos passageiros na classe executiva. Eu estava entre os premiados. Nada mal. Durante dez horas voaria sem apertos numa poltrona larga e confortável, que reclinava até tornar-se cama. Precisava mesmo de um bom descanso para enfrentar com disposição a outra etapa da viagem até o Uzbequistão, que, certamente, seria cansativa.

Na manhã do dia seguinte, o Boeing 747 pousou em Gatwick, nos arredores de Londres. De lá, em duas horas cheguei ao aeroporto de Heathrow, de onde embarquei imediatamente para Moscou.

Na capital russa, fiz outra troca rápida de aeroportos. Vindo de Londres, o avião desceu em Sheremetevo 1, o aeroporto internacional. Mas o vôo para Tashkent decolaria do Sheremetevo 2, o que tornava necessário pegar um táxi. Já estava alertado que os taxistas de Moscou disputam passageiros no tapa. Eles próprios pegam as malas sem pedir licença e, uma vez que você esteja sentado no táxi, esqueça: a corrida custará absurdos.

Quando saí da sala de desembarque, antes mesmo de atravessar as largas portas de vidro de acesso à rua, gritos vindo de todos os lados, e ao mesmo tempo, chegaram aos meus ouvidos:

— *Mister!*

— *Mister!*

— *Taxi!*

— *Hello!*

— *Taxi!*

— *My friend!*

— *My friend!*

— *Dollar!*

— *Dollar!*

— *Taxi!*

As ofertas pela corrida até o aeroporto doméstico, que não chegaria a meia dúzia de quilômetros, variaram de 20 a 50 dólares. Negociei pelo valor correto, apesar de o motorista não ter feito cara de bons amigos: custou 10 dólares e nem um rublo a mais!

Peguei um velho Lada anos 1980, sem taxímetro, com o tecido do banco do passageiro castigado pelo tempo e por brasas de cigarro. A cor vermelha, que um dia brilhou na lataria do carro, estava apagada, dando-lhe aspecto de abandono. Fora de sintonia, o rádio tocava uma irritante música eletrônica russa. Examinei o assento traseiro. Encontrava-se sujo de graxa e tomado por pesadas ferramentas de serralheiro, o que denunciava a outra atividade do taxista. O porta-malas estava emperrado. Fiz o trajeto com as bagagens no colo.

"A Rússia está se transformando numa grande sucata", pensei.

Quatro horas de vôo mais tarde, apertado na cadeira do avião russo Antonov modelo 1962, a voz do comandante soou pelos alto-falantes da aeronave. Primeiro falou em uzbeque, o que deduzi por ser a língua oficial do país. Depois, traduziu o recado para o russo. Na seqüência, as mesmas informações foram transmitidas em três idiomas diferentes — um deles apostei ser o turco, os outros, provavelmente, de ex-repúblicas soviéticas. Por último passou o comunicado em inglês:

— Em alguns minutos estaremos descendo no Aeroporto Internacional de Tashkent. A temperatura está em torno dos 35 graus centígrados.

Inesperadamente ele continuou:

— A capital uzbeque soma mais de dois mil anos de história. É a quarta maior cidade em todo o território da antiga União Soviética, depois de Moscou, São Petersburgo e Kiev, nessa ordem. A população de Tashkent é de aproximadamente dois milhões e trezentas mil pessoas.

O piloto parecia empolgado com seu aviso, que já tinha virado um breve discurso:

— Desde nossa independência, em 1991, o povo uzbeque tem trabalhado duro para recuperar seu passado e manter nossa liberdade recém-conquistada. A Uzbekistan Airways tem orgulho em estar voando com vocês.

As aeromoças ficaram rindo para mim ao final do comunicado do chefe. Como o avião transportava pouca gente, nada mais que duas dezenas de pessoas, tive oportunidade de ver o rosto de cada uma delas. Primeiro na sala de embarque em Moscou, depois quando fui por duas vezes tomar água gasosa na parte de trás do avião. Notara ser eu o único passageiro alienígena ali, o único a não pertencer às comunidades russa ou asiática central.

Entendi que o comandante tinha dirigido as informações em inglês especialmente para mim. Tratava-se de um comportamento atencioso, que mais tarde notei ser um dos atributos louváveis do povo uzbeque.

Mal o avião aterrissou, os passageiros se acotovelaram uns sobre os outros na porta de saída. Queriam, todos juntos e ao mesmo tempo, descer o mais rápido possível. Procedimento típico em qualquer lugar do mundo. Muita gente adora viajar de avião, mas não vê a hora de pular fora dele e pisar em terra firme. Nem que seja preciso atropelar o passageiro à frente.

Desci a escada estreita até a pista de pouso e só não beijei o chão do Uzbequistão porque ia parecer ridículo, uma cena mais apropriada ao papa João Paulo II. Afinal, o cenário estava mais adequado para ritos muçulmanos. "Que Alá me proteja!", roguei em pensamento.

Minha bagagem foi a última a surgir na esteira. Estava louco para pisar fora do aeroporto e olhar Tashkent. Antes, porém, precisava enfrentar a burocracia russa — uma das péssimas heranças deixadas pelos comunistas. Era necessário preencher formulários com perguntas intermináveis. Só depois me encaminharia ao oficial de migração com o passaporte em mão.

Era preciso informar quanto dinheiro estava levando, se estava portando moedas de outros países, se possuía equipamentos de som, fotografia ou vídeo; computador ou qualquer objeto eletrônico. Caso a resposta fosse positiva, o que era meu caso, era preciso anotar a marca, o número de série, o país de fabricação e quanto valia no mercado cada um dos itens que se estava transportando.

Exigia-se o nome completo do pai, da mãe, o endereço de casa, a profissão, o lugar onde trabalhava, se tinha algum tipo de doença e se estava desembarcando com medicamentos. Se havia remédios na bagagem, mais perguntas a responder: para que serviam e a quantidade que estava carregando? Qual o motivo da visita ao país? Conhecia alguém que vivia lá? Quem era e onde morava? Ia se hospedar na casa de alguém ou ficaria num hotel? Qual era o endereço, telefone? E muitas perguntas mais.

É recomendável passar por essa via-crúcis sem desconsiderar nenhum dos itens. Ao deixar o país, deveria preencher outro formulário exatamente igual a este. A diferença é que, dessa vez, também teria de informar se havia comprado alguma coisa no país — e o quê. A polícia uzbeque tem fama de ser tão *honesta* quanto a russa. Os policiais parecem ficar mais à caça de irregularidades, na esperança de levar algum dinheiro extra para casa, do que trabalhando na segurança do aeroporto.

Quando se está há dois dias viajando de avião, fazendo conexões, trocando de aeroportos, responder questionários volumosos é algo próximo do desumano. Senti-me num confessionário bolchevique.

Ao terminar a maratona de perguntas, percebi que os passageiros vindos de Moscou já haviam desaparecido. A sala principal do aeroporto estava às moscas. Sequer um funcionário perambulava pelo aeroporto.

Quando me aproximei do balcão elevado, protegido por uma placa de vidro, onde teoricamente deveria estar a postos o oficial de migração, notei que também não havia ninguém. Não tinha como sair dali e, irônico, nem entrar no país. Quem iria checar meu passaporte, carimbar e liberar minha entrada no Uzbequistão? Foi quando vi uma das aeromoças da companhia aérea indo embora apressadamente.

— Olá! — gritei.

Ela olhou em minha direção.

— Você tem idéia onde está a pessoa que pode me atender?

— Espere um pouco que vou averiguar — disse, antes de sumir atrás de uma pilastra.

Dez longos minutos depois, apareceu um rapaz vestido numa farda camuflada do exército.

— O que o senhor deseja? — perguntou-me à distância, tão longe quanto um militar acredita que deve ficar de civis.

— Sou turista. Cheguei há meia hora de Moscou. Quem é o responsável pelo controle de passaportes?

— O chefe do setor foi resolver problemas pessoais aqui por perto. Mas volta logo.

Estava ansioso para entrar no país. Embora cansado da longa viagem, eu estava bem-humorado. Achava graça do jeito relaxado que o aeroporto internacional de Tashkent operava naquele dia — um dia sem grandes movimentos de passageiros.

O aeroporto de Tashkent lembrou-me a frieza e a falta de atrativos arquitetônicos que existiam no de Bucareste, na Romênia. Procurei algum detalhe ou cor nas paredes que me despertassem a mínima atenção.

É incrível como os projetistas bolcheviques, revoltados contra o mundo capitalista, conseguiram erguer prédios sem personalidade e com capacidade de oprimir quem os freqüenta. As linhas eram todas retas, carregando o ambiente de aspereza. A sensação era a mesma de estar dentro de uma grande caixa de concreto com pequenas janelas para ventilar apenas o necessário. Tudo parecia visar a economia, até mesmo o ar.

O corredor estreito onde se espera para ser atendido pelo pessoal da migração mais se parece com uma sala de interrogatório. Era apertado, com incômoda iluminação artificial e um banco de madeira surrado, onde permaneci sentado por mais de trinta minutos. Não restava o que fazer senão esperar pelo tal funcionário.

Por fim, outro militar, metido numa farda amarelada como a areia de deserto, chegou, ajeitou-se na cadeira alta atrás do vidro e pediu:

— Passaporte.

Essa era a palavra mágica que mais sonhava ouvir há quase uma hora.

— Aqui está! — respondi com alegria tão juvenil como se estivesse entregando o boletim escolar com boas notas à minha mãe.

A fotografia selada e plastificada na primeira página do passaporte foi observada com atenção e comparada comigo várias vezes. O homem da migração olhava para mim e depois voltava os olhos desconfiados para a foto, e assim sucessivamente por meia dúzia de vezes.

"Sim, sou eu mesmo. Posso provar que eu sou eu. Me deixa entrar!", pensei, aflito para transpor a faixa amarela pintada no chão, que me separava do Uzbequistão.

Cada página foi checada; todos os vistos, lembranças indeléveis de outras viagens, examinados. E então ouvi o estampido seco do carimbo batendo firme contra o passaporte. Sem dizer uma só palavra, ele me devolveu o documento. Conferi o visto: uma estampa do tamanho da folha do passaporte, com a inscrição Republic of Uzbekistan e o desenho de um pássaro mitológico com as asas abertas.

Não demorou muito e o Boeing 757 da Uzbekistan Airways, em que vinha o Toni, aterrissou na pista. Com mais sorte, ele se desembaraçou rapidamente da burocracia e nos encontramos, selando o início da viagem com um forte abraço. Uma jornada que traria surpresas em cada um dos seus dias e até o final.

Pegamos um táxi e indicamos:

— Hotel Rovshan!

Enquanto o taxista nos conduzia pelas ruas planas e retas de Tashkent, desta vez num Lada bem mais conservado que o de Moscou, percebi que o aeroporto era apenas uma "amostra grátis" da escola de arquitetura soviética que atuou em toda a cidade.

As avenidas são extremamente largas, pontilhadas por sucessivos prédios do governo, sempre grandes demais e revestidos de concreto cinzento. Os prédios de apartamentos juntam-se em blocos idênticos, pesadões, de três ou cinco andares. Sem pintura externa, as sacadas estão tomadas por vasos de plantas e secadores de roupa. Mal podia acreditar que estava na Ásia Central.

Cheguei a Tashkent carregando poucos livros. Na mochila seguiam dois guias de viagem em inglês encomendados pela internet numa livraria virtual e um livro quase técnico chamado *The Cities and routes of the great Silk Road* (As cidades e as rotas da grande Rota da Seda), comprado em 1996 na livraria The London Book, em Islamabad.

Editado pelo Instituto Internacional para Estudos da Ásia Central, o livro seria muito útil na compreensão da arte islâmica, presente nos mais belos e audaciosos exemplos da arquitetura religiosa no mundo. Com a mesma intensidade que ocorreu no passado, viajantes, curiosos, historiadores, arquitetos, jornalistas, artistas, autoridades do governo de países ocidentais e gente das mais diferentes fés percorrem regiões de influência muçulmana para apreciar seus conjuntos arquitetônicos de esplendor incomparável.

Não é à toa que milhares de pessoas, todos os dias, se enfileiram diante de pujantes obras como o mausoléu de Taj Mahal, na Índia; as mesquitas de Isfaham, no Irã; os palácios das cidades imperiais marroquinas de Marrakesh, Fès e Meknès; e tantos outros monumentos sagrados na Turquia, na Tunísia e no Egito. Contudo, estava prestes a descobrir que em

Samarkand erguem-se preciosos minaretes, madrassas e mesquitas, criações dos mais qualificados artistas do Islã da Idade Média. E que só não entraram no circuito turístico internacional devido à tirania do governo comunista soviético.

Na bagagem de mão levava o inspirador livro *Encontro com homens notáveis*, de George Ivanovitch Gurdjieff. De acordo com o antigo calendário russo, Gurdjieff nasceu em 1º de janeiro de 1877, na cidade de Alexandropólis. Certo dia, durante a juventude, ele juntou pequena quantidade de roupa e desapareceu de casa. Por um longo período, que se acredita tenha se prolongado por duradouros vinte anos, perambulou por terras distantes e inexploradas.

Ele empreendeu aventuras admiráveis, notadamente à Ásia Central, onde adquiriu conhecimentos milenares com mestres espirituais, pensadores, gente simples e príncipes de diferentes escolas e linhagens. Ele mesmo diz: "Eu não estava só. Havia toda sorte de especialistas."

Durante os anos que passou na estrada, conheceu e acompanhou uma gente de terras ricas em histórias e sabedoria. Entre os amigos que fez pelo caminho, os peregrinos dervixes lhe chamaram muito a atenção. Eram homens com rigorosa formação religiosa, adeptos de rituais e técnicas místicas para o autoconhecimento. O objetivo desses religiosos era alcançar a purificação e, a partir daí, se aproximar de Deus. De origem persa, a palavra dervixe indica humildade e ausência de orgulho.

Os aprendizados adquiridos por Gurdjieff serviram para que ele fundasse o Instituto para o Desenvolvimento Harmonioso do Homem, no início do século passado, na Rússia. Não demorou muito para que essa sociedade conquistasse seguidores em grandes centros europeus e norte-americanos, como Paris e Nova York. A intenção, como está explícito no nome do instituto, era proporcionar o crescimento individual das pessoas por meio de técnicas de relaxamento, de autoconhecimento e do aperfeiçoamento da inteligência.

Gurdjieff morreu em Paris, em outubro de 1949. Pouco depois de sua morte, o arquiteto norte-americano Frank Lloyd Wright escreveu artigos sobre a importância do pensador russo no mundo ocidental. Wright retrucou muitas das idéias do escritor Rudyard Kipling, que trabalhava num grande jornal de Lahore, na Índia, então colônia britânica, nos anos 1880. Kipling — prêmio Nobel de Literatura em 1907 — polemizou os limites da compreensão entre Oriente e Ocidente. "O Leste é o Leste e o Oeste é o Oeste/e nunca os dois vão se encontrar", deixou registrado em um poema.

"Kipling dizia", escreveu o arquiteto, "que os orientais e os ocidentais jamais se entenderiam. Mas na vida e nas palavras de Gurdjieff há uma sabedoria extraída das profundezas da Ásia que o Ocidente pode compreender."

Gurdjieff recebeu educação exemplar do pai, um autêntico *ashokh*. Em muitas regiões asiáticas, a palavra *ashokh* designa artistas que têm incrível capacidade para compor, recitar e cantar poemas, canções e lendas de toda espécie. O próprio escritor russo explica quem eram os *ashokhs*:

"Os homens de antigamente que se consagravam a essa carreira, embora muitos fossem 'iletrados', possuíam memória e vivacidade de espírito de tal modo extraordinárias que chegavam ao prodígio. Não somente conheciam de cor inúmeros relatos e poemas, normalmente muito longos, mas também cantavam de memória as mais variadas melodias. Dedicavam-se ainda a improvisos magistrais sobre temas conhecidos. Sabiam com rapidez surpreendente mudar a cadência no momento adequado e encontrar a rima.

"Dizia-se, já na minha infância, que eles estavam se tornando raros. Foi-me dado, entretanto, conhecer vários deles, entre os mais célebres dessa época. Os rostos desses *ashokhs* ficaram profundamente gravados em minha memória.

"Se tive a oportunidade de ouvi-los, devo-o a meu pai, que me levava com ele aos torneios em que vinham se defrontar. Chegavam da Pérsia, da Turquia, do Cáucaso e mesmo de certas regiões do Turquestão. Cantavam em versos, na língua turco-tártara, então adotada como idioma comum pela maioria dos povos dessas regiões, que falavam dialetos diferentes.

"Esses torneios prolongavam-se por semanas inteiras, às vezes até por meses. E terminavam com distribuição de recompensas aos cantos de mais destaque. Os presentes consistiam de gado, tapetes ou outros objetos de valor."

Ainda no Brasil, quando coloquei o livro de Gurdjieff na mala, não tinha a intenção de usá-lo como guia para seguir passos do autor pela Ásia Central. Serviria, sim, para saber das impressões de um viajante inspirado, que rodou por territórios que eu visitaria em breve. Acabei testemunhando, pessoalmente, coisas que eu pensara ser fruto apenas da literatura.

Mais tarde, no Quirguistão, eu ficaria frente a frente com um contador de Manas, o mais extenso épico do mundo. Na verdade, ele era um *ashokh*, o raro artista que há mais de um século já estava desaparecendo. E, durante minha passagem pelo Uzbequistão, teria a oportunidade de encontrar um autêntico mestre dervixe. Haveria outros encontros notáveis pelas trilhas da Ásia Central.

Em Tashkent, quinze minutos depois de sairmos do aeroporto, o táxi nos deixou no Rovshan, onde nos hospedamos. O Rovshan é um hotel simpático nos arredores do centro da cidade. Há um jardim com pequeno gramado bem cuidado do lado externo, onde é servido o café da manhã em mesas brancas de ferro para quatro pessoas.

O quarto, amplo, evidencia as necessidades para temporadas de frio. Aquecedor a gás, tapetes pendurados nas paredes e pesadas cortinas de veludo vermelho forradas por trás parecem dizer ao hóspede: "Estamos aqui para protegê-lo!" No chão, um espesso tapete iraniano com belos mosaicos esquenta o ambiente. As camas parecem adormecer num sono profundo, quietas, agasalhadas com cobertores enormes, que descem até os pés. Os travesseiros — será que são de penas de ganso? —, macios e convidativos. Nos cantos, duas cadeiras de braço estilo Luís XV com almofadas de veludo também vermelho.

Tudo muito adequado para os dias de inverno rigoroso, quando os termômetros em algumas cidades uzbeques chegam a ultrapassar os 15 graus centígrados negativos. Mas o país é conhecido nos arredores, com justiça, pelo apelido de República do Sol. Durante 300 dias ao ano, o sol brilha sem cessar. E estávamos no início de setembro, com a temperatura acenando que ia ultrapassar facilmente os 35 graus.

Só de olhar, o quarto fazia suar. A decoração era mais uma herança inconveniente deixada pela Moscou de outrora, que empurrou para o quente Uzbequistão costumes de quem passa a maior parte do ano sob a inclemência do inverno. Mas era ali que iríamos dormir, ou tentar.

— Gostaram do apartamento? — perguntou Jess Rakhmonov, o proprietário do hotel, enquanto nos mostrava como ligar o televisor de 14 polegadas.

— A TV está conectada ao sistema via satélite — continuou ele. — Vocês podem ver canais do mundo todo. Acabei de abrir esse hotel, espero que gostem.

— Muito obrigado. Estamos bem — respondeu Toni.

Apesar do rápido contato, Jess nos passou ser uma pessoa muito atenciosa. O quarto quente, na verdade, não nos incomodava mais. O desejo no momento resumia-se a tomar banho, trocar de roupa e caminhar pela cidade.

Na manhã seguinte, Jess ficou de nos apresentar o motorista que nos acompanharia pelas estradas do Uzbequistão.

— Podem escolher o trajeto que desejarem. Ele conhece bem nosso país, fala inglês com desenvoltura e, tenho certeza, vai ajudá-los caso precisem de algo — disse.

Tínhamos acabado de chegar, mas já me sentia em casa, com a sensação de que o país nos desejava boas-vindas. Acredito que países, cidades ou povoados não se tornam especiais apenas por causa de seus atrativos naturais, culturais ou históricos. As pessoas que dormem, comem, trabalham ou perambulam por lá são elementos imprescindíveis para alguém se identificar com os lugares.

Refeitos, depois do banho frio e do lanche com chá, pão, ovos, uvas verdes e pêssegos, saímos para andar. A arquitetura sem vida e as paredes acinzentadas dos prédios davam a sensação de não se estar em lugar algum. A tarde findava, e Tashkent vivia o mesmo alvoroço de qualquer cidade do mundo nos finais do dia: ônibus lotados, filas e mais filas de pessoas aguardando condução para voltar para casa. Jovens uniformizados, felizes com suas mochilas nas costas e cadernos nas mãos, passavam em algazarra.

Sinais de trânsito abrindo e fechando, buzinas, carros e pedestres se alternando com rapidez. Gente apressada descendo as escadas de túneis que dão acesso ao metrô, um dos orgulhos dos moradores de Tashkent. Inaugurado em 1977, o metrô da capital uzbeque foi o primeiro da Ásia Central. São três linhas diferentes espalhadas por trinta quilômetros de trilhos.

"Tashkent soma mais de dois mil anos de história", lembrei-me do rápido currículo uzbeque apresentado pelo comandante do meu vôo.

De fato é uma das cidades mais antigas da Ásia Central. Mas no passado sofreu o infortúnio de localizar-se no meio do caminho de grandes massas migratórias vindas do leste e do oeste. Além disso, sua fama de rico entreposto comercial de seda, algodão, peles de animais, tapetes, especiarias, perfumes e pedras preciosas tornou-a alvo de cobiça entre os conquistadores.

Durante o primeiro e o segundo séculos antes de Cristo, era conhecida pelos nomes de Chach, Shash, Shashkent e Binkent. Quando foi dominada pela espada dos árabes muçulmanos no ano 751, a cidade vivia tempos de vigor econômico, resultado do movimento intenso de mercadores e suas caravanas. Dali, eles seguiam para Samarkand, Bukhara e depois Merv, essa última no Turcomenistão, de onde prosseguiam em direção oeste.

O nome Tashkent — ou Castelo de Pedra, em turco — foi implantado no século XI, quando já fazia parte do califado árabe. O lugar esbanjava riqueza e, por isso mesmo, soberanos muçulmanos da Árabia controlavam-no com atenção especial. O que não deixava de ser uma ofensa às palavras de Maomé. Em suas pregações, o Profeta costumava desaprovar publicamente os árabes que ostentavam finas vestimentas de seda e cultivavam hábitos de avareza, como tinham feito os romanos.

A obsessão árabe pela riqueza, entretanto, seria castigada. Em 1219, duzentos mil guerreiros altamente treinados nas artes da guerra e montados em cavalos velozes deixaram a Mongólia para marchar em direção aos reinos do oeste. À frente do batalhão vinha o mais temível dos imperadores, o mongol Gêngis Khan. Dois anos de campanhas militares mais tarde, seu império estendia-se por uma vasta região que ia desde o território mongol até a Rússia. Nunca houve destruição e terror comparáveis aos que ele implantou naquelas paragens.

Por onde passou, Gêngis Khan arruinou cidades e povoados, destruiu palácios e monumentos, deixando um rastro de cinco milhões de mortos. Samarkand, Bukhara e Khiva ficaram arrasadas com a passagem das hordas do imperador. Para azar dos árabes, Tashkent estava no caminho de Gêngis Khan.

Das cinzas — como ocorreria tantas outras vezes em sua história — ela foi reconstruída. A recuperação foi tão extraordinária, que a cidade se tornou a fortaleza setentrional do império de Tamerlão, durante o século XIV. Auto-intitulado "O conquistador do mundo", o imperador gabava-se de correr em suas veias o sangue de Gêngis Khan.

Ao mesmo tempo em que arruinava cidades e escravizava povos em sangrentas operações expansionistas, Tamerlão mandava erguer algumas das mais significantes obras islâmicas do mundo. Seus minaretes, mesquitas e madrassas, de proporções colossais e revestidos pelos mais finos azulejos e mármores, tornaram-se a glória de toda a Ásia Central. Tashkent ainda recorda esse passado com seus monumentos, que resistiram ao passar do tempo e das adversidades, e continuam de pé na parte antiga da cidade.

O sonho de Tamerlão — a conquista da China — não se tornou realidade. Depois de sua morte, em 1405, a região manteve a sina de se ver invadida por tribos nômades de tempos em tempos. No século XIX, tanto Tashkent quanto toda a Ásia Central eram considerados lugares atrasados, afastados de qualquer progresso. O motivo da decadência devia-se especialmente a fanáticos mulás, que dominavam os arredores sob a prática da mais degradante forma de islamismo, aquela que odeia divertimentos e incita o ódio contra não-muçulmanos.

Entre esses mesmos fundamentalistas, entretanto, alguns dissidentes passaram a enxergar na Rússia a salvação para o buraco em que estavam se metendo. O vizinho tornara-se um império poderoso e era melhor se alinhar a ele do que penar com o isolamento promovido pelos radicais do Islã.

O general russo Mikhail Cherniaev resolveu encurtar o caminho. Em junho de 1865, invadiu Tashkent. Mesmo com força militar infinitamente superior, encontrou resistência inesperada dos soldados islâmicos. O militar russo viu-se à frente de guerrilheiros motivados pela *jihad*, a guerra santa, que preferiam morrer a se entregar ao "inimigo do Islã". A superioridade russa em técnicas de guerra, por fim, venceu a batalha.

Mais uma vez Tashkent estava arrasada e novamente seria reconstruída. Dessa vez, porém, não haveria califas árabes ou mulás no seu comando; a administração era predominantemente militar. Agora, o novo império russo estendia seus tentáculos por toda a Ásia Central e aproximava-se cada vez mais da Índia, controlada pelos britânicos.

Havia uma certa inquietação internacional quanto ao rápido crescimento do domínio soviético. A esquecida Ásia Central voltava aos refletores. E, mais tarde, se apagaria por longos setenta anos durante o decorrer do século XX.

Depois da Revolução Russa de 1917, os territórios da região viveram mudanças drásticas. Um prisioneiro austríaco, na capital uzbeque, conseguiu enviar à Europa uma carta que retrata a Ásia Central nos primeiros anos do domínio comunista:

"Quando cheguei em Tashkent, em 1916, havia uma cidade repleta de jardins e de impressionante beleza, com lojas modernas, carruagens, automóveis, lembrando os ares das pequenas cidades européias. O que a Revolução de Outubro fez por aqui? Hoje, temos uma cidade morta e suja, onde nada lembra sua imaculada beleza.

"As lojas estão todas vazias e fechadas, e muitas delas foram transformadas em escritórios soviéticos. Todo o comércio com o Oriente, encerrado. Ninguém mais vê aquelas intermináveis caravanas de camelos, que em procissões preenchiam as ruas de Tashkent com o tilintar dos guizos pendurados nos animais. Hotéis, restaurantes e cafés estão igualmente fechados. Os carros pararam de correr. Não há mais luz nas ruas. Em toda a parte existe a mesma imagem de destruição e devastação."

Na sua história mais recente, Tashkent foi vítima de terríveis terremotos, que mudaram para sempre o aspecto da cidade. Em 1966, dois abalos sísmicos, seguidos de centenas de tremores, sacudiram prédios até transformar áreas públicas e residenciais num amontoado de entulho.

O batalhão de voluntários e planejadores urbanos, vindos da União Soviética, deu à cidade a presente face duvidosa. As praças têm tamanho exagerado e a arquitetura não exibe a mínima personalidade.

A história de Tashkent confunde-se com a história do Uzbequistão, contada em muitos dos museus locais. Um deles, em particular, chamou-me a atenção. Na rua Pushkin-Bishkek o museu Tamara Khanum é dedicado à maior dançarina de todos os tempos do Uzbequistão, o que é mais um exemplo curioso num país muçulmano, onde mulheres, imagina-se, são educadas para viver no anonimato.

Tamara Khanum morreu em Tashkent, em 1991, aos 85 anos. Dedicou sua vida às danças folclóricas da Ásia Central e à liberação feminina na sociedade islâmica. Criada numa época em que as mulheres eram proibidas de cantar e dançar em público, enquanto os atores se ocupavam dos papéis femininos, Tamara foi pioneira ao se apresentar em público sem o uso do véu cobrindo o rosto.

De volta ao hotel, já ao cair da noite, uma garçonete muito bonita nos serviu o jantar. Tinha a pele morena e os olhos claros, um pouco esverdeados, estavam delicadamente delineados de preto. Usava um leve vestido de seda com alcinhas e na altura dos joelhos.

Tínhamos para o jantar sopa de legumes, acompanhada de *nan*, o pão local.

— Qual o seu nome? — perguntei.

— Ulisa — respondeu ela com um sorriso.

— Que nome bonito! Você tem alguma preferência religiosa? — perguntei por pura curiosidade, já que ela se vestia bem à vontade.

— Sim. Sou muçulmana — afirmou sem hesitar.

Lembrei-me da dançarina Tamara. O país começava a ensinar-me que muitos de meus conceitos sobre o Islã eram equivocados. Eu iria aprender muito pelo caminho.

Às cinco horas da manhã, conforme combinado na noite anterior com o dono do hotel, estávamos de malas prontas para seguir viagem em direção a Samarkand. Jess ajudou um dos funcionários a preparar o café da manhã. Pão, chá, café, queijo, iogurte natural, manteiga e mel. Recentemente, ele conseguiu autorização do governo para entrar no ramo do turismo, setor que os uzbeques apostam como promissor no futuro. Jess é dono da Sam Buh Tour, agência que fica a poucos metros do hotel.

— Espero que meu empreendimento prospere. No período soviético eu não poderia nem sonhar em manter um negócio próprio. Tudo pertencia ao Estado — disse, com certa amargura daquela época.

Rakhmonov tem cerca de quarenta anos, trinta deles vividos sob a mão de ferro do comunismo soviético.

— Em 1991, quando o Uzbequistão tornou-se independente da União Soviética, organizamos festas nas ruas. Dançamos vários dias, as mesquitas ficaram repentinamente cheias de fiéis. Somos uma nação jovem e estamos com muita disposição para recuperar o tempo perdido na era soviética.

Com o fim do governo comunista, muitos russos que foram morar na Ásia Central começaram a voltar para a Rússia. Há um certo receio entre eles, contou Jess, de viver entre o povo que no passado foi oprimido por Moscou.

Jess continuava seu discurso otimista, quando o portão alto de ferro, que separa o jardim da ruazinha de terra, abriu.

— Ah, aí está você! Este é Mirsamikov Bakhodir, o motorista que vai acompanhá-los pelo Uzbequistão.

— *Salaam aleikum!* — cumprimentamos.

— *Aleikum salaam!* — devolveu a saudação e continou: — Podem me chamar de Bakhodir, é mais fácil.

Ele fez questão de repetir o nome mais duas vezes e pausadamente. Só para ter certeza de que tínhamos compreendido a pronúncia correta. Bakhodir orgulhava-se de ter um "sobrenome genuinamente uzbeque muçulmano e não de origem russa".

— Vocês são de onde? — perguntou.

— Do Brasil.

— Ah, Brasil! Eu gosto muito desse país! Vocês produzem café, não é mesmo? Nunca experimentei, mas sei que é famoso por causa da excelente qualidade.

— É verdade. Pena que não trouxe um copo de café brasileiro na minha mochila para você — brinquei.

Bem-humorado, com sorriso espontâneo, Bakhodir demonstrava ser um amigo que tínhamos acabado de encontrar. Eu não estava enganado.

5

O Amigo Uzbeque

Em direção ao sul, a estrada M-39 sai de Tashkent e segue até Termez, na fronteira com o Afeganistão, onde os Estados Unidos instalaram uma base militar para os ataques ao taleban nos últimos meses de 2001. O trecho da rodovia entre a capital uzbeque e Samarkand é pouco conservado. O asfalto precisa de reparos, mas os carros circulam sem problemas. Durante quatro horas de viagem, a paisagem é monótona: a pista é uma reta só, quase não há curvas. O cenário alterna-se entre trechos desérticos, plantações de algodão, fábricas e mais fábricas cercadas por muros brancos com portões altos. Montanhas elevam-se imponentes no horizonte distante.

Canos levando água para irrigação cortam os campos em toda a sua extensão. O solo dessas terras, como em muitos lugares na Ásia Central, foi castigado por quantidades absurdas de adubos químicos. Os soviéticos tinham o péssimo hábito de espalhar fertilizantes e pesticidas em excesso nas plantações para que a terra produzisse mais do que naturalmente é capaz. Assim, os lençóis freáticos ficaram poluídos, afetando o meio ambiente e ameaçando a saúde do povo local.

As músicas uzbeques e iranianas com influência ocidental que vinham do toca-fitas quebravam a monotonia externa, trazendo vida e ritmo à viagem. Bakhodir batucava no volante, acompanhando o som dos tambores. No espelho retrovisor ele mantinha uma miniatura do Alcorão pendurada por um longo fio dourado. Quando o carro passava por buracos, o pequeno Alcorão balançava de um lado para o outro.

Pendurar amuletos, colar santinhos nos automóveis é uma mania de motoristas de todo o mundo. Lembrei-me da imagem de São Cristóvão no táxi que me levou dias atrás ao aeroporto de São Paulo. Recordei-me também do adesivo no vidro do riquixá em Peshawar: "Em caso de problemas, ore e peça socorro ao Supremo, ao Onipotente Alá." Se a frase não remetia a boas recordações do motorista paquistanês, só me restava rezar a Alá para que nosso motorista uzbeque não cometesse nenhuma bobagem pelo caminho.

Não tínhamos rodado ainda trinta quilômetros quando a estrada estreitou-se à nossa frente. Cones, arames farpados enrolados afunilavam a pista, obrigando Bakhodir a diminuir a velocidade. O funil terminava numa guarita, com cancela e soldados uzbeques ostentando nos ombros fuzis AK-47, capazes de disparar seiscentos tiros por minuto. Não havia movimento na rodovia. A estrada parecia abandonada. O militar fez sinal para o nosso Hyundai vermelho parar.

Antes de estacionar, Bakhodir pediu nossos passaportes e os meteu no bolso da camisa. Ele saiu do carro e caminhou uns vinte metros. Daquela distância percebemos que, após apresentar os documentos do carro e os passaportes a um oficial, a conversa ficou áspera. Enquanto a discussão seguia acalorada, os dois caminhavam em nossa direção.

— E agora? O que será que está acontecendo? — perguntei ao Toni.

— Não tenho a menor idéia. Mas me parece que Bakhodir resolveu encarar o militar...

Pelo vidro semi-aberto, o soldado enfiou seu rosto largo e quadrado, com olhos rasgados e pretos como jabuticabas. Os traços denunciavam a descendência de povos mongóis. Examinou os rostos dos estrangeiros e comparou-os com as fotos dos passaportes. Depois, pediu que o porta-malas fosse aberto. Checou tudo rapidamente, cumprindo a rotina burocrática, e nos liberou.

Bakhodir engrenou a primeira marcha e acelerou nervoso, passando pela guarita com a cara amarrada. Percebi que lançou um olhar duro para o militar que nos havia barrado.

— Idiotas! — esbravejou, enquanto o carro se afastava da barreira do exército.

— O que aconteceu? — quis saber Toni.

— Esses militares me conhecem há muito tempo. Passo sempre por aqui levando turistas. Mas insistem em ficar me parando.

— Que tipo de averiguação é essa? — perguntei.

— O governo do presidente Karimov anda muito preocupado com o fundamentalismo muçulmano, que já é forte no Afeganistão e está ganhando força no Tadjiquistão. Para nosso azar, são nossos vizinhos.

— Então os soldados devem checar veículos na estrada. É uma segurança para vocês mesmos.

— Eu sei. Mas os militares sempre se julgam os donos da razão. E também querem encontrar alguma irregularidade para tirar dinheiro de quem não deve nada. Detesto militares.

Completou a indignação com um palavrão. "A pior polícia é sempre a da sua cidade", lembrei-me de um velho ditado popular. Até alcançarmos Samarkand fomos barrados mais meia dúzia de vezes.

Depois de passarem praticamente todo o século XX sob controle soviético, os uzbeques não querem perder a recente liberdade para um governo muçulmano fundamentalista. Há grande apreensão de que atos terroristas assolem o país, a exemplo do que vem acontecendo no vale de Fergana, ao sul, onde grupos islâmicos retrógrados conquistam a simpatia de jovens e de trabalhadores rurais.

Bakhodir estava sempre sorridente, era esbelto, tinha cabelos negros bem cortados, bigode ralo porém aparado, usava óculos escuros. No primeiro dia que o encontramos, vestia *jeans* e uma camiseta preta onde se lia em largas letras amarelas *We want a free world* (Nós queremos um mundo livre). Aos 35 anos, ele tinha o espírito aberto de jovens urbanos ocidentais.

Perguntei-lhe se era casado e ele confirmou com sorriso largo, informando ter um filho de três anos. A esposa faz curso de farmácia numa universidade em Tashkent.

— Qual é a principal religião no Brasil? — ele fez a pergunta para quebrar um silêncio repentino.

— A maioria da população brasileira é católica, mas também há muçulmanos. Vivemos num país onde se tem liberdade para escolher a religião que se quer seguir — respondi.

— E vocês dois? São muçulmanos? — Bakhodir quis tirar a dúvida, dando uma rápida olhada para Toni pelo retrovisor.

— Não. Mas qual o motivo da pergunta? — perguntei.

— Apenas curiosidade profissional — disse, sem tirar os olhos da estrada.

— Como assim, curiosidade profissional?

— Eu trabalho com turistas. Então é bom saber se meus passageiros são muçulmanos. Porque alguns muçulmanos não gostam de fazer certas coisas.

— Certas coisas? O que você quer dizer com isso?

— Dançar, beber vodca, sair com garotas para tomar cerveja...

— Você não é fiel ao Islã?

— Sim, claro que sou!

— E gosta dessas tais *certas coisas*?

— É óbvio. Aqui no Uzbequistão somos livres para curtir nossas vidas. Vivemos diferente do período soviético, quando fazíamos coisas escondidas.

— Certo, mas e se eu fosse um muçulmano igual a você? Você me levaria para a farra?

— Aí, tudo bem. Você seria dos nossos...

Ouvi uma gargalhada sonora vinda do banco de trás. Toni divertia-se com o espirituoso Bakhodir.

— Tenho muitos amigos e amigas em Bukhara. Quando vou para lá, nos divertimos bebendo e dançando. Vou apresentá-los a vocês.

Ele resolveu nos contar uma piada, tão popular no país que foi publicada em alguns guias de viagem. Como muitas anedotas, ela surgiu de um fato que tem certo fundo de verdade. Dizem os uzbeques que, mesmo diante do controle rígido de oficiais comunistas, eles conseguiam negociar algodão, o principal produto de exportação do Uzbequistão, no mercado negro com os vizinhos. A história é mais ou menos assim:

"Num final de tarde, o fazendeiro uzbeque está bastante exausto, com cara de quem tinha trabalhado o dia todo na coleta de algodão. Sem avisar, o carrancudo fiscal do Partido Comunista irrompe pela fazenda e aproxima-se dele. Tira um bloquinho do bolso, molha a ponta do lápis e, sem cumprimentar ninguém, pergunta:

— E então, camarada? Quanto algodão 'coletamos' hoje para o nosso Partido?

— Não muito. Apenas o suficiente para empilhar aos pés do Misericordioso Alá.

Nervoso com a resposta irônica, o fiscal diz aos berros:

— Idiota! Você ainda não se deu conta de que vivemos num país comunista? E que aqui não existe Deus algum?

— Ah, sim, tinha me esquecido. Por isso é que aos pés de Alá você não conseguirá encontrar nem mesmo um mísero chumaço de algodão!"

Os comunistas ateus nunca compreenderam, e muito menos respeitaram, a fé muçulmana. As etnias da Ásia Central, independente da religião, também foram tratadas com desdém.

Antes da revolução de 1917, orquestrada por Lenin, o líder bolchevique — a ala radical formada por operários, camponeses e soldados russos —, as fronteiras dos países da Ásia Central como as conhecemos hoje não existiam. A divisão dos países começou em 1922, quando foi criada a União das Repúblicas Socialistas Soviéticas, reunindo territórios que antes pertenciam ao Império russo.

Mas, após a morte de Lenin e a chegada de Josef Stalin ao poder, em 1924, a região sofreu o golpe que a dividiu sem critério algum. Stalin perverteu os ideais de democracia pregados por seu antecessor, combateu organizações separatistas de povos não russos e adotou uma política de coletivização forçada de terras, provocando a morte de dez milhões de camponeses.

Até aquele momento, os povos asiáticos centrais desconheciam fronteiras riscadas em mapas. Eles se separavam de acordo com as línguas, costumes, religiões, tribos e *status* sociais. Essa forma de viver, aos olhos de Moscou, era ameaçadora para o sucesso do comunismo no gigantesco território soviético.

O próprio Stalin debruçou-se sobre a mesa e riscou fronteiras num mapa, inventando os limites para o Cazaquistão, Quirguistão, Tadjiquistão, Turcomenistão e Uzbequistão. O líder soviético misturou etnias em fazendas coletivas, desconhecendo a história ou a língua delas. Depois, passou a perseguir religiosos e crentes em qualquer fé. Mas o alvo principal era o Islã, religião com incrível potencial de resistência e capacidade de unir-se a outras nações islâmicas.

A primeira medida foi dar fim a três dos cinco pilares do Islã, praticados por todo muçulmano. Todos estavam proibidos de jejuar durante o período do Ramadã; ninguém teria autorização de deixar o país para cumprir o *hadji*, a peregrinação a Meca; e tornava-se crime a cobrança do *zakat*, o imposto obrigatório de 2,5% dos rendimentos anuais devido aos pobres. Os outros dois pilares — acreditar num único Deus, Alá, e rezar cinco vezes por dia voltado em direção a Meca — seriam algo próximo do impossível de ser controlado.

Poligamia, véus cobrindo as faces das mulheres e o idioma árabe estavam banidos. Essa última proibição implicaria o fim das publicações do Alcorão em sua versão original, em árabe. Para os muçulmanos, a língua árabe contém as palavras exatas de Alá, da mesma forma que foram ditadas pelo anjo Gabriel a Maomé. Segundo os fiéis, outro idioma dificilmente consegue traduzir o estilo profético cheio de imagens e de metáforas contidas no livro sagrado.

"A religião é o ópio do povo." A célebre frase de Karl Marx, escrita no século XIX e muito antes de os comunistas subirem ao poder, avaliava o quanto o fanatismo religioso, desde o tempo das cruzadas católicas sanguinárias, poderia ser um estorvo a qualquer comunidade. Não há dúvida. Stalin, entretanto, fez sua interpretação pessoal daquele pensamento e iniciou a campanha do Estado sem crenças religiosas, sem Deus a ser glorificado.

As ações foram agressivas: terras pertencentes a sociedades cristãs, budistas, judaicas e, obviamente, islâmicas foram confiscadas e transformadas em fazendas coletivas. Mulás e religiosos de outros credos presos, confinados em prisões ou assassinados como espiões e sabotadores do governo comunista.

Das trinta mil mesquitas existentes no início da Revolução Russa, pouco mais de mil resistiam na década de 1940. As cerca de quinze mil escolas corânicas estavam abandonadas, com as portas fechadas.

Mostrando resistência inesperada, os líderes muçulmanos conseguiram negociar certas liberdades durante a Segunda Guerra. Moscou precisava de apoio para avançar nos combates contra a Alemanha, e não era hora de ter oposição dentro de casa. Mesquitas foram reabertas e os mulás liberados para cumprir a sagrada peregrinação a Meca.

A sobrevivência da religião islâmica deve muito a atividades clandestinas, que foram mantidas durante os períodos mais duros de perseguição religiosa. As irmandades sufis, principalmente, conseguiram preservar os rituais e a educação baseados nos ensinamentos do Profeta.

O Islã sofreu repressão similar na China comunista de Mao Tsé-tung, quando viu mesquitas serem destruídas e líderes espirituais perseguidos e executados. Hoje, muçulmanos confinados no território chinês de Xinjiang vivem sob forte tensão, onde atividades separatistas se mantêm na clandestinidade, conforme presenciei pessoalmente.

Na era de abertura do governo Gorbachev, nos anos 1980, restavam entre 150 e 250 mesquitas na Ásia Central. Desde a independência, mesquitas e madrassas explodem feito cogumelos depois da chuva em dias de calor — muitas delas construídas com dinheiro de xeques árabes e grupos islâmicos do Irã.

Salvas pela sorte, muitas foram poupadas da destruição pelos bolcheviques devido à importância histórica e arquitetônica que representam. Espetacularmente belas e conservadas, continuam extasiando quem as visita.

Sem pressa alguma pela estrada, parando para fazer fotos e gravar imagens de camponeses trabalhando em campos de algodão, entramos em Samarkand por volta do meio-dia.

Bakhodir tirou o pé do acelerador, diminuiu a marcha e, sem dizer uma só palavra, estacionou em frente ao Registan. Ele queria nos impressionar. E conseguiu.

O Registan, que significa "praça de areia" — em alusão à areia espalhada no chão após o derrame de sangue em execuções públicas —, era o centro de Samarkand nos tempos medievais. Erguido entre os séculos XV e XVII, o complexo arquitetônico consta de uma gigantesca praça central com piso decorado com mosaicos e, à sua volta, uma mesquita colossal, minaretes e madrassas com domos decorados com ladrilhos azul-turquesa. Pátios internos conectam esses prédios, onde ainda se encontram hospedarias que, no passado, estavam disponíveis aos peregrinos dervixes, viajantes e mercadores. Esse complexo é um dos maiores e mais magníficos trabalhos do mundo islâmico preservados na atualidade.

Apesar de devastado ao longo da história, boa parte do conjunto continua sob excelente estado de conservação. Em 1899, o viajante inglês George Curzon registrou em seu livro *Rússia na Ásia Central*: "O Registan de Samarkand foi a mais nobre praça pública em todo o mundo. Desconheço qualquer outro lugar no Oriente que se aproxime de sua simplicidade e grandeza; também desconheço que tenha algo próximo na Europa que pudesse pelo menos aspirar a entrar na competição. Há certa inabilidade no Ocidente para realizar tamanho espetáculo a céu aberto."

Samarkand é obra dos devaneios de um dos maiores tiranos dessas paragens, Tamerlão, ou Timur(aço), nome muito comum na Ásia Central. Adepto do Islã, Tamerlão fez uma interpretação pessoal da religião monoteísta: "Se há apenas um Deus no céu, só poderá existir um só rei na terra." Ambicioso, Tamerlão realizou extraordinárias campanhas militares entre 1370 e 1405. Ao final de 35 anos de batalhas, os atuais Irã, Iraque e Síria, partes do leste da Turquia, Moscou, Herat, no Afeganistão, e Delhi, na Índia, estavam sob seus pés.

Nascido em 1336 ao sul de Samarkand, num clã de aristocratas, diz a lenda que Tamerlão veio ao mundo com as palmas das mãos sujas de sangue. Um presságio de que sua vida seria circundada por mortes. Jovem, tornou-se exímio arqueiro, cavaleiro e comandante militar. Estima-se que o cruel descendente de Gêngis Khan provocou a morte de dezessete milhões de pessoas, deixando trilhas de sangue e sofrimento por onde passava. Suas barbaridades ganhavam em crueldade quando comparadas às dos sanguinários guerreiros mongóis.

Certa vez, em 1383, em Isfizar, atual Irã, Tamerlão ordenou a seus soldados que erguessem uma torre com dois mil prisioneiros da cidade, empilhando-os uns sobre os outros. Depois, mandou cimentá-los vivos. Outra das histórias, que se passou cinco anos depois desse episódio, acontece em Delhi, na Índia. Num só ataque, ele decepou a cabeça de duzentos hindus. Entre feitos horripilantes, há relatos de um caso escabroso. Em 1402, após saquear Smyrna, na Turquia, Tamerlão usou cabeças dos inimigos como se fossem balas de canhão.

Samarkand, porém, nunca foi esquecida pelo conquistador. O sonho de Tamerlão era fazer de sua capital a cidade mais linda do mundo. Para isso, durante os períodos de guerra ele buscava fazer prisioneiros os melhores artistas e artesãos dos países que derrotava. Juntamente com batalhões de escravos para os trabalhos manuais, remetia-os para Samarkand.

Houve uma época em que arquitetos, ceramistas, vidraceiros e artistas especializados em mosaicos chegavam como prisioneiros a Samarkand vindos das terras mais distantes: eram de Bagdá, Damasco, Shiraz, Isfahan e Delhi. Nos intervalos das guerras, quando retornava à capital, Tamerlão inspecionava pessoalmente o andamento das obras encomendadas. Caso alguma coisa não lhe agradasse, arquitetos eram enforcados em praça pública, sob o delírio da platéia. O imperador não era um homem paciente. Certa vez, mandou buscar noventa elefantes da Índia para acelerar os trabalhos de construção de uma mesquita.

Um dos primeiros monumentos que Tamerlão se comprometeu a fazer em Samarkand foi o complexo de Shahr-i-Zindah, conjunto arquitetônico formado por uma mesquita e uma ruela repleta de mausoléus. Diz-se que ali está a tumba de Qusam ibn-Abbas, primo do Profeta

Maomé, e responsável por levar até aquelas redondezas as palavras de Alá, no ano de 676.

Para os muçulmanos, Shahr-i-Zindah é um lugar tão sagrado, que duas peregrinações até ali equivaleriam a uma para a Meca. É comum ver peregrinos enchendo jarros com a água que nasce ali. Considerada sagrada, ela é usada pelos muçulmanos para lavar os filhos circuncidados.

Os monumentos religiosos de Tamerlão espalham-se por regiões distantes que vão além do Uzbequistão. No Afeganistão, a belíssima Mesquita Azul, em Herat, é obra de seu poder visionário.

Um ano antes de morrer inesperadamente de pneumonia, no Cazaquistão, em 1404, quando planejava uma expedição expansionista para a China, Tamerlão deu início a sua última extravagância arquitetônica, a tumba de Guri Amir. Originalmente seria construída como um mausoléu para seu neto favorito, o príncipe Mohammed Sultan, morto numa batalha na Pérsia. Mas a obra acabou tornando-se seu próprio sepulcro.

Na entrada de Guri Amir uma placa indica o lugar: "Aqui descansa o ilustre e misericordioso monarca, o maior de todos os sultões, o mais poderoso guerreiro, o Venerado Tamerlão, Conquistador do Mundo." Tamerlão, mesmo com sua vida marcada pelo gosto à destruição e à guerra sanguinária, é adorado como herói pelo povo uzbeque. Por isso, muitos garotos quando nascem recebem o nome de Timur.

Cercado por histórias fantásticas, os uzbeques gostam de contar a mais recente delas. Em 1941, o antropólogo soviético Mikhail Gerasimov foi a Samarkand numa missão científica encomendada por Moscou. Ele deveria abrir a cripta de Tamerlão e relatar o que visse nela. O cientista confirmou que o imperador era um homem de um metro e setenta de altura e mancava da perna direita, devido a uma queda quando tinha vinte e poucos anos de idade.

Mas uma inscrição junto à ossada de Tamerlão chamou a atenção de Mikhail. Estava escrito: "Quem violar meu leito de morte e remexer meus ossos será ameaçado por um inimigo tão assustador quanto eu." No dia seguinte, 22 de junho, Hitler atacou a União Soviética.

Com a morte de Tamerlão, o poder foi herdado por seu neto predileto, Ulughbek, fabuloso astrônomo e matemático. Ulughbek, que ficou no governo até 1449, transformou Samarkand num importante centro científico para estudos de astronomia e física, fortalecendo o ensino nas escolas corânicas com professores de alto nível intelectual.

Mas Samarkand já era esplendorosa muito antes de os primeiros árabes chegarem ali no século VII. "Tudo que ouvi sobre Marakanda é verdade, exceto pelo fato de ela ser muito mais bonita", disse o macedônio Alexandre, o Grande, no longínquo ano de 329 a.C., durante sua jornada de conquistas em direção ao Oriente.

Os gregos chamavam Samarkand de Marakanda, situada em Sogdiana, antiga região da Pérsia, que ficava entre os dois grandes rios Amu Darya e Syr Darya, nos atuais Uzbequistão e Tadjiquistão. Tempos depois, no final do século XIII, o viajante Marco Polo relataria que Samarkand era um dos lugares mais encantadores do mundo.

Embriagado pela exuberância dos edifícios do Registan e caminhando sem pressa entre as vielas apertadas e repletas de mausoléus seculares em Shahr-i-Zindah, não era difícil imaginar os tempos de glória de Samarkand. No final da tarde, quando o sol já não estava tão quente, uns jovens nos seus dezoito anos de idade interpelaram-nos nas proximidades do Registan.

— Vocês têm algum programa para as seis horas da tarde?

— Por quê? — perguntei.

— Vamos apresentar um espetáculo no pátio da antiga madrassa do Registan. Haverá música e contadores de história.

— Parece interessante! — animou-se Toni.

Faltavam apenas cinco minutos para o início do espetáculo, e então apertamos o passo. A entrada custou cinco dólares para cada um, com direito a tapete para sentar e uma mesa baixa com chá verde, pães, castanhas, tâmaras e frutas secas dispostas em bandejas de prata decoradas.

O espetáculo ao ar livre, no interior de uma madrassa suntuosa do século XVII, abriu com vários músicos tocando tambores. A acústica perfeita possibilitou ouvir cada repicar de dedos no couro dos instrumentos. E também escutar com clareza o contador de histórias, atrás de longas barbas postiças e vestido tão refinadamente como um sultão árabe. Perguntei a Bakhodir o que o ator narrava e ele explicou tratar-se de antiga fábula sobre um rei triste em busca de sua amada.

Mesmo sem entender a língua, a apresentação, logo enriquecida por atrizes e dançarinas virtuosas, conduzia a platéia formada por um pequeno grupo de turistas europeus ao imaginário dos contos das Arábias. O ambiente e a música favoreciam a viagem mágica.

Ao fim de cerca de 90 minutos, que passaram tão fugazes, artistas e público demonstravam nos rostos terem ido mesmo às Arábias, devido aos longos aplausos e gritos de "Bravo!". Agora que a alma estava satisfeita, o corpo queria sua parte no espetáculo.

— Vamos comer alguma coisa? — sugeriu Bakhodir.

— Você não poderia ter idéia melhor! — comemorou Toni.

Atravessamos toda a imensidão da praça central do Registan, cruzamos a rua logo em frente e vimos sinais de fumaça, denunciando que ali tinha o que comer. Entramos num pequeno restaurante, com cadeiras e mesas de metal desgastadas. Um casal revezava-se num teclado com músicas pré-programadas, e alguns clientes, de vez em quando, arriscavam-se a dançar entre as mesas, apesar de a música não ser agradável e os cantores desafinarem.

Os freqüentadores, homens e mulheres, pareciam ser russos na sua maioria, com rostos redondos e avermelhados, que se destacavam ainda mais à medida que o consumo de vodca aumentava. Guimbas de cigarros sujavam o chão.

— Vocês querem experimentar nosso prato típico? — adiantou-se Bakhodir.

Entre os uzbeques, as comidas preferidas são o *plov* e o *shashlyk*. O primeiro apresenta variações de acordo com o lugar. Mas, basicamente, consiste em arroz cozido no vapor, misturado com cenouras e carne de carneiro, servido num prato enorme para ser dividido. Eu tinha visto esse mesmo prato ser consumido entre os uigures da China muçulmana. O *shashlyk* nada mais é que um espetinho de carne de carneiro com cebolas inteiras, feito em grelha. Como os dois visitantes brasileiros não comiam carne vermelha, Bakhodir pediu uma inovação no cardápio: *shashlyk* de frango com cebolas, cenouras e queijo!

— Amanhã, se vocês quiserem, posso levá-los a um lugar diferente do que viram hoje, fora da rota do turismo — disse nosso amigo, que começava a compreender nossa maneira de aproveitar a viagem.

— E do que se trata? — perguntei.

— É um povoado chamado Hoja Ismail, procurado apenas por religiosos.

Muito antes de Tamerlão eleger Samarkand como o "Jardim Abençoado" de seu império, a cidade tinha o misterioso poder de atrair religiosos em busca de crescimento espiritual. Trinta quilômetros dali, no vilarejo Hoja Ismail, há um mausoléu muito simples e modesto. Apesar de nada atrativo, é um dos lugares mais sagrados do mundo islâmico.

Ali está o túmulo de Ismail al-Bukhari, morto em 887. Al-Bukhari foi um dos maiores estudiosos dos *hadith*, a extensa coleção de atos e ditados do Profeta Maomé. Para os muçulmanos, os trabalhos desse religioso representam a segunda obra mais importante depois do Alcorão, como fonte de interpretação das leis do Islã.

Quando vivo, Maomé era sempre consultado sobre regras de convivência. Após sua morte, seus seguidores ficaram "órfãos" dos conselhos do Profeta e passaram a transferir da memória para o papel os provérbios de Maomé.

Esses ditos são os *hadith*, que por sua vez compõem a Sunna, o conjunto de práticas e costumes orientadores da vida dos fiéis. Com o passar do tempo, à medida que as comunidades islâmicas se expandiam pelo mundo, conquistando povos de culturas bem diversas, tornou-se necessário também ampliar as interpretações das leis — a *sharia*.

A *sharia* cobre uma legislação completa — constitucional, penal, civil e militar —, ainda com regras de moralidade e de atitudes corteses entre as pessoas. Reconhece cinco classes de ações; as obrigatórias, as recomendadas, as proibidas, as censuradas e as indiferentes.

Os *hadith*, entretanto, começaram a ser criados ou forjados de acordo com a conveniência de quem fazia uso deles para benefício pessoal. Cerca de duzentos anos após a morte de Maomé, Ismail al-Bhukari contou mais de seiscentos mil desses ditos. Pouco mais de sete mil eram autênticos. Um deles, popular ainda hoje, é o que compara as mulheres aos animais na sua capacidade de perturbar as orações. Esse é um dos *hadith* que justificaria a inferioridade da mulher no Islã.

Aprendi que Samarkand é um importante capítulo da história do Islã. Mas era hora de pegar estrada.

6

Inspiração Sufi e Dervixes em Bukhara

Até Bukhara são cinco horas de viagem. Planejamos sair por volta do meio-dia para aproveitar a estrada com a claridade do sol e, assim, observar sem pressa as planícies desérticas daquele trecho do país. Mas as luzes que incidiam sobre a arquitetura peculiar de Samarkand tornavam-na ainda mais sedutora, ficando difícil deixá-la.

Por volta das quatro horas da tarde, Bakhodir ficou apreensivo. Depois que escurecesse, segundo ele, a fiscalização na estrada ficava mais rígida. E ainda havia o risco de as barreiras serem fechadas à noite, ficando a passagem de veículos liberada apenas pela manhã. Saímos apressados.

Bakhodir acelerou fundo, coisa que até então não tinha feito. O velocímetro ultrapassava os 120 km por hora, apesar de as placas na estrada indicarem 100 km como limite máximo de velocidade.

— Temos de andar rápido. Quanto mais tarde ficar, mais problemas teremos com os militares.

O carro disparava pela estrada e do nosso lado esquerdo o sol descia lentamente no deserto. Em breve, a noite tomaria conta da paisagem árida.

Como previsto, as fiscalizações foram mais demoradas, nossos rostos foram conferidos diversas vezes. Um militar aproximava-se do carro e, com um refletor, iluminava o interior do carro e nossas faces. Virou rotina esconder os olhos com as costas das mãos para não ficarmos cegos quando as luzes fortes eram acesas diretamente contra nós.

Cansados e sujos da poeira do deserto, chegamos em Bukhara por volta das onze horas da noite.

A primeira providência a tomar foi nos registrar no hotel Lyabi House, uma antiga casa do século XIX restaurada com perfeição. Só havia treze apartamentos, o que o mantinha sempre tranqüilo. A decoração era perfeita para o casarão, que no passado pertenceu a Mirza Dovud, mercador famoso na região. As paredes são decoradas com azulejos grafados com versos do Alcorão, pratarias, louças e quadros a óleo antigos.

Tomamos banho e, refeitos da viagem, resolvemos caminhar. Estávamos ansiosos por ver a cidade, iluminada por lâmpadas fracas e amareladas, que mais pareciam bolas de vidro. Entramos na primeira viela e seguimos em frente, descobrindo silhuetas de prédios islâmicos, que só não nos revelavam detalhes por causa do escuro da noite.

Mesmo assim, percebemos o quanto era bela a arquitetura de Bukhara. A parte antiga da cidade oferecia um vasto repertório de mesquitas, madrassas, praças medievais e minaretes de tamanhos colossais. Na primeira noite, o céu era típico ao das regiões desérticas, tomado de estrelas. Voltamos para o hotel imaginando como seria a cidade de dia.

Antes de apagar as luzes do quarto dei uma olhada num livro chamado *Bukhara, an oriental gem* (Bukhara, uma jóia oriental), escrito por pesquisadores uzbeques, que tinha acabado de pegar emprestado no *hall* de entrada do hotel. Numa de suas páginas, encontrei um velho ditado sobre a cidade: "Todos os lugares do mundo recebem as luzes que vêm do céu em direção à Terra. Da sagrada Bukhara, as luzes emanam ao firmamento."

No dia seguinte, acordei cedo, por volta das seis horas da manhã. A cama onde Toni dormia estava vazia e não havia sinal dos equipamentos de vídeo. Certamente ele estava registrando as primeiras luzes do dia descendo sobre Bukhara.

Lavei o rosto, preparei a câmera fotográfica, as lentes e fui para a rua. Sob a luz amena do sol da manhã, Bukhara me entorpeceu os sentidos. Começava a entender o ditado sobre a cidade que "lança luzes ao céu".

A menos de cinqüenta metros do hotel, dobrei à esquerda diante da imensa praça chamada Lyab-I-Hauz, adornada com fontes, cercada por duas madrassas e uma mesquita do século XVII. O volume arquitetônico da cidade projetou-se imponente. Edifícios islâmicos com cúpulas azul-turquesa; mesquitas cobertas de azulejos decorados com os mais intricados mosaicos; pontes de pedras sobre canais estreitos; minaretes de tijolos amarelados erguendo-se em direção ao céu. Fiquei fascinado.

O desenho das ruas de Bukhara não mudou nos últimos mil anos e a impressão que se tem é que o ritmo das pessoas também permanece o mesmo dos tempos medievais. A cidade tem uma sucessão de labirintos apertados, onde se escondem casas com jardins internos, e que vão dar num outro emaranhado de ruelas, largas o bastante para caber uma bicicleta. Nessa atmosfera, eu imaginava caravanas de camelos, sacerdotes, filósofos e estudantes muçulmanos apertando-se para passar, na época em que ali era um cultuado pólo cultural, religioso e de negócios na Ásia Central.

Às vésperas do século XX a cidade contava mais de cinqüenta madrassas, cem piscinas públicas e vinte caravançarais, antigas estalagens públicas que hospedavam caravanas de mercadores, junto com seus animais e produtos. Bukhara era conhecida por ter uma mesquita para cada dia do ano.

Desde o passado, emana ares cosmopolitas. Viviam sobre o mesmo chão judeus, afegãos, armênios, russos, persas, chineses e hindus. Quando chegaram ali, em 709, os árabes encontraram uma metrópole próspera, considerada importante centro comercial. Os invasores tentaram, a todo custo, converter o povo local para o Islã. Na época, o zoroastrismo era a religião com mais seguidores nos arredores. Fundada no século VII a.C., na Pérsia, essa fé caracterizava-se pela crença em dois deuses, representantes do bem e do mal, que mais tarde influenciariam a tradição judaico-cristã.

Como as palavras de Alá não foram suficientes para arrebatar aquele povo, os soldados árabes brandiram suas espadas contra os infiéis. No século XVI, o Islã já vigorava na região com força total: mais de cem madrassas estavam em atividade, cuidando da educação de mais de dez mil alunos. Três centenas de mesquitas prestavam-se a cultos ininterruptos.

Resolvi perambular por uma daquelas vielas sinuosas. Entre portões semi-abertos, vi jardins bem cuidados, homens orando em direção a Meca nos quintais de terra batida, cumprindo assim a primeira obrigação religiosa do dia. Acabei deparando com um impressionante minarete que tínhamos visto na penumbra da noite anterior.

O minarete Kalon — grande, na língua tadjique — domina os céus de Bukhara há centenas de anos. Outro monumento existia no mesmo lugar desde 919. Mas em 1127 o impaciente rei Arslan Khan ordenou que ali fosse levantado o maior minarete do mundo. Surgiu então uma torre de 48 metros de altura. Um projeto ousadíssimo para novecentos anos atrás. Para ter certeza de que aquela obra realmente era a mais alta do mundo, Khan enviou seu arquiteto para uma viagem a fim de verificar a existência de algo similar sobre a face da Terra. Dois anos depois de vagar por reinos distantes, ele voltou e garantiu ao rei: "Não vi e muito menos tive notícia de que exista minarete mais alto que o de Bukhara. Se há algum, estará no reino do céu."

Arslan Khan sonhava com uma torre tão alta que, quando o *muezin* — o sacerdote responsável por conclamar os muçulmanos às orações diárias — subisse ao topo, ninguém ficaria sem ouvir o chamado. Mas o minarete serviu a outros fins religiosos. Lá do alto, infiéis ao Islã eram lançados à morte.

Ao invadir a cidade, em 1219, Gêngis Khan, num raro momento de humildade, e de reconhecimento de que estava diante de uma obra inigualável, determinou que o minarete fosse poupado da destruição. Ordenou, porém, que a gigantesca mesquita Kalon, aos pés do minarete, fosse incendiada até ser queimada a última folha do sagrado Alcorão. "Se vocês são os pecadores, eu sou o castigo enviado por Deus", bradava o mongol, para desespero dos povos invadidos, antes de dar início à grande devassa.

Reconstruída no século XVI, a mesquista destruída por Gêngis Khan era uma Jummi, ou mesquita de Sexta-Feira. No domínio soviético, serviu como depósito para produtos agrícolas. Reaberta para atividades religiosas em 1991, está entre um dos mais espaçosos templos da Ásia Central. Como um estádio, acomoda doze mil fiéis orando ao mesmo tempo para Alá. Tanto o minarete quanto a mesquista de Kalon estão preservados e sob os cuidados da Unesco.

Tentei fazer o caminho de volta para o hotel, mas acabei me perdendo ao entrar numa ruela, que julgava ser a mesma por onde tinha chegado ao grande minarete. Amanhecia, e as pessoas limpavam a frente de suas casas, varrendo a areia do deserto carregada pelos ventos.

— *Salaam aleikum!* — saudavam-me mulheres, crianças e homens com vassouras nas mãos.

— *Aleikum salaam!* — deliciava-me com a educação dos moradores de Bukhara. Por onde andava, reparei, a onipotência da torre Kalon persistia lá no alto, como se estivesse vigiando as mudanças da história de Bukhara.

Quando finalmente peguei a direção certa, encontrei Toni sentado num degrau da praça Lyab-I-Hauz, protegido nas sombras de amoreiras tão antigas quanto o lugar. Eram quase nove horas da manhã.

Não dissemos nada um para o outro. Estavámos simplesmente atônitos com tanta riqueza à nossa volta. Não é todo dia que se explora uma cidade de 2.500 anos, e preciosamente preservada. Fomos tomar o café da manhã no hotel, a pouco mais de cem metros da praça que inspirou seu nome.

Pêssegos, damascos, ameixas, maçãs, amoras, peras, uvas verdes e vermelhas, romãs e figos. Quando se senta a uma mesa no Uzbequistão há muita fartura de frutas. O café da manhã parecia um desfile de frutas deliciosas. Certa vez, ouvi falar que as maçãs da Ásia Central são as mais saborosas do mundo. Nunca verifiquei se a informação procede, mas me deliciei com essa fruta que brota fácil nos jardins de Bhukara.

Na mesa ainda havia o *nan*, o pão plano como pizza e servido durante qualquer refeição; panqueca com mel; iogurte natural; geléias variadas e potes e mais potes de *kok chai*, o chá verde. Bakhodir nos avisou que uma guia local viria nos encontrar em alguns minutos.

Os guias do Uzbequistão são especiais. Com o fim da União Soviética, um batalhão de profissionais, preparados para assumir postos importantes em qualquer país do Ocidente, perdeu seu emprego e teve de recorrer a alternativas para sobreviver. Arqueólogos, historiadores, geógrafos e professores universitários passaram a guiar turistas e viajantes no Uzbequistão.

O país tem um nível cultural impressionante. Não há analfabetos e até os dezoito anos os estudos são garantidos pelo governo. A educação é um legado positivo do período comunista, que espalhou muitas e excelentes escolas e universidades públicas pelo país. Além de não haver crianças fora da escola, diariamente elas participam gratuitamente de *workshops* antes ou após as aulas, dependendo do turno que freqüentam. Sentadas aos pés de mestres de cabelos e barbas brancas, meninos e meninas aprendem a bordar, esculpir em madeira e tecer. Estudam a arte de confeccionar e tocar instrumentos musicais, aprendem a representar no palco peças seculares, que estavam se perdendo no tempo. Presenciei essas atividades principalmente em Bukhara e Khiva, onde as crianças costumam se reunir nos pátios largos de antigos caravançarais.

O Uzbequistão, assim como outras ex-repúblicas, está querendo recuperar o tempo perdido. Quer resgatar seu passado, sua cultura, seus heróis.

— Será que o Brasil não poderia convidar alguém do Uzbequistão para dar um *workshop* de "como construir um país" para nossos políticos? — entusiasmava-se Toni toda vez que via crianças em atividades artísticas fora das salas de aula.

Ainda sentado à mesa do café, pude ver quando uma mulher de seus quarenta e cinco anos, muito elegante num vestido de seda, entrou no pátio. Como não havia mais ninguém nas proximidades com jeito de gringo, ela aproximou-se.

— Bom dia! — disse ela, com um sorriso espontâneo e descontraído, que deixava as gengivas à mostra.

— Bom dia! — respondemos em uníssono Toni, Bakhodir e eu.

— Meu nome é Makhsuma Niyazova e trabalho como guia. Bakhodir me informou que vocês chegaram ontem e gostariam de um guia para acompanhá-los.

— Será de grande proveito para nós. A cidade tem muita história, e acredito que há muito para se aprender aqui — falei.

Makhsuma vestia-se de forma recatada, mas me chamara a atenção a roupa que ela usava por viver num país muçulmano. Tinha chegado ao hotel usando vestido de seda colorida, na altura dos joelhos e de mangas bem curtas; sapatos baixos e confortáveis; brincos de prata pendendo das orelhas; batom discreto da cor dos lábios e maquiagem bem leve no rosto, provavelmente para esconder as rugas ao redor dos olhos impostas pela idade. Era uma mulher vaidosa, muito simpática, e que gostava de se cuidar.

Numa das mãos, levava uma sombrinha florida de cores fortes e alegres, a qual mantinha sempre aberta para se proteger do sol forte. No braço, carregava uma bolsa em forma de baú, de onde sacava um véu de seda branca para cobrir a cabeça quando entrava em lugares sagrados. Ela e todos de sua família eram muçulmanos.

Nascida em Tashkent, Makhsuma graduou-se em história e arqueologia em sua cidade natal. Em 1979, o partido comunista em Moscou mandou-a para Bukhara, onde deveria juntar-se a um grupo de arqueólogos russos que escavavam a região em busca de pistas de civilizações antigas.

— Quando recebi o comunicado na universidade, avisando que eu deveria mudar de cidade, não gostei. Mas a educação era gratuita e todo estudante era obrigado a cumprir as ordens de Moscou. O governo nos dava a universidade, mas nos mandava para onde eles precisassem, sem nos consultar — explicou ela, enquanto caminhávamos por Bukhara. — Também não me agradava trabalhar ao lado de arqueólogos russos.

Provavelmente com mais sorte que outros jovens de sua idade, Makhsuma acabou gostando do trabalho e apaixonou-se pela cidade, que ainda não tinha visitado. Conheceu ali o futuro marido, um geógrafo que divide o tempo entre dar aulas na universidade de Bukhara e, como ela, trabalhar como guia de turismo. O casal tem um filho de dez anos.

— Estamos apostando no futuro de nossos jovens, para que eles mantenham a independência do nosso país — informou.

O governo do presidente Islam Karimov, no poder desde a independência, tem adotado uma política vigorosa na formação dos jovens. Desde 1993, contou Makhsuma, dois mil jovens na faixa dos dezesseis aos dezoito anos ganham bolsas para estudar no exterior. Eles seguem para os Estados Unidos, Europa, Turquia, Índia, Irã e Japão, principalmente. Fazem cursos universitários e depois retornam para casa.

— A idéia é que adquiram cultura nos lugares mais diferentes possíveis. No futuro, esses conhecimentos globais serão muito importantes para nossa economia e política.

— Mas como eles conseguem as bolsas de estudo? Por meio de notas alcançadas na escola? — perguntou Toni.

— Não. Todos os anos há uma grande competição nas escolas, com provas que não avaliam apenas notas. Mas também desenvoltura, a vontade que o jovem tem em desenvolver-se e, algo muito importante, o conhecimento de línguas estrangeiras.

A historiadora voltou a falar do filho.

— Ele adora o futebol brasileiro! Coleciona figurinhas com a foto de jogadores do seu país — contou-nos. — Tem um que se chama Ronaldo, não é isso mesmo?

"Mais uma pobre alma enganada pela imagem de que somos uma terra repleta de pelés, tostões, garrinchas e zicos", pensei.

— Antes de nos despedirmos, quero que você escreva algo para meu filho. Ele não vai acreditar quando souber que conheci dois brasileiros. É a primeira vez que encontro alguém da América do Sul!

Procurei por algo típico brasileiro que pudesse mandar-lhe de presente. Encontrei uma nota de 1 real, esquecida dentro da carteira.

— Não é exatamente o que eu gostaria de dar para ele, mas acho que é uma boa lembrança do Brasil.

Ela examinou a nota e perguntou-me:

— O que está escrito aqui?

— Banco Central do Brasil.

— E nestas letrinhas bem pequenas?

— Deus seja louvado.

— Vocês são muçulmanos?

Não somos, expliquei, aproveitando mais uma vez para dizer que nosso país não se opunha a cultos ou religiões. Achei interessante que, do ponto de vista dela, dois homens metidos em calças cheias de bolsos, botas e camisetas, divertindo-se muito, poderiam ser muçulmanos. Por que o Ocidente alimenta a idéia de que quem é devoto do Islã usa barbas ou bigodes, anda com a cabeça coberta por véus ou turbantes? E ainda deve esconder braços e pernas; e nunca aproveitar a vida?

— No Brasil tem muitas mulheres bonitas, usando biquínis e divertindo-se em belas praias, não é? — quis ela confirmar.

— É verdade. Mas onde você viu essas imagens? — indaguei.

— Na novela brasileira!

— Novela!? Que novela?

— *Tropical summer* — informou-me, em inglês.

Ela tinha dito "Verão tropical", o que não esclareceu muita coisa. Toni e eu quebramos a cabeça para lembrar que novela seria aquela. Nos dias seguintes, depois de várias tentativas, conseguimos ver na TV de nosso hotel do que se tratava. A tal *Tropical summer* era a novela *Tropicaliente*, que foi ao ar na Rede Globo, em 1994, e agora passava na TV uzbeque três vezes por semana, à tarde.

Era engraçado ver os atores Francisco Cuoco e Stênio Garcia se expressando numa língua tão desconhecida.

— Nossa! Como eles falam bem o uzbeque! — divertia-se Toni.

As dublagens, notava-se, até que pareciam bem-feitas. Longe de ser um programa "campeão de audiência", ou uma obra de satã, como os fundamentalistas tratam as produções da televisão, *Tropical summer* divertia os uzbeques muçulmanos.

O sol esquentava ainda mais, e resolvemos parar debaixo da sombra de uma amoreira.

— Vocês desejam visitar algum lugar especial em Bukhara? — perguntou Makhsuma.

— Gostaria de conhecer o vilarejo Kasri Orifon — respondi.

— Mas não há muito o que ver por lá. Apenas peregrinos visitam o local e não há atrativos turísticos.

Era exatamente o que eu queria ouvir: o lugar era procurado apenas por religiosos, que, certamente, tinham interesses pessoais para empreender viagens até Kasri Orifon, um dos mais cultuados santuários sufi do mundo.

Na noite anterior, lendo o livro que havia apanhado emprestado no hotel, fiquei sabendo de uma irmandade chamada Nakshbandi, fundada na Ásia Central no século XIV. Formada por sacerdotes, professores e devotos sufistas, a organização conta atualmente com grupos em diversas partes do mundo, incluindo todas as ex-repúblicas soviéticas. Sua meta principal é o crescimento espiritual de seus integrantes, alcançado por meio de métodos incomuns no mundo islâmico.

Os Nakshbandis exercitam a prática do que chamam *zikr*, a recitação dos nomes de Deus e de versos sagrados, combinados com posturas e controles da respiração. Dizem que os dervixes — sacerdotes sufis — teriam aprendido tais técnicas com os *sadhus*, peregrinos hindus que praticavam a ioga.

Makhsuma contou-me que durante o período soviético os fiéis dessa fraternidade cumpriram o papel mais importante da resistência muçulmana frente aos comunistas. Algo que já tinham feito para defender a fé quando da invasão mongol. Em reuniões clandestinas, que aconteciam em insuspeitas casas de chá, cemitérios e porões, eles ensinavam e transmitiam conhecimentos mesmo diante da dura repressão soviética. O Islã se mantinha, assim, nas vias marginais, porém com forças suficientes para não sucumbir. Nem mesmo espiões da KGB, o serviço secreto soviético, conseguiram infiltrar-se na fechada organização sufi.

Agora, eu tinha acabado de descobrir que o fundador de tal importante irmandade, um missionário chamado Khazreti Mohammed Bakhauddin Nakhshbandi, ou simplesmente Baha-al-din, nasceu e foi enterrado numa tumba aos arredores de Bukhara, em 1389. Sua tumba, desde o enterro, tornou-se local sagrado.

Durante o período soviético, grupos de peregrinos reuniam-se às escondidas para visitar o túmulo. Agora livres, os muçulmanos viajam longas distâncias para prestar homenagens e receber bênçãos no santuário de Baha-al-din.

O povoado Kasri Orifon não ficava distante de Bukhara. Cerca de 12 quilômetros a leste da cidade, cruzando uma pequena estrada de asfalto coberta pelo pó do deserto. Às suas margens avistam-se vinhedos, campos de algodão e plantações de amora, destinadas ao cultivo do bicho-da-seda.

O local, de acordo com Makhsuma, não tem intenção de atrair turistas. O conjunto é formado por duas mesquitas, sepulturas de discípulos sufis e um antigo palácio transformado em museu. Todas as sinalizações do santuário estão escritas em uzbeque. A tumba de Baha-al-din é um simples bloco de concreto, com dois metros de altura, no principal jardim do complexo. Ao seu redor, há uma enorme *khanagha*, a hospedaria dos dervixes, construída em 1544.

Baha-al-din, informou a guia, trabalhou como metalúrgico para Khalil Sultan — sobrinho do imperador Tamerlão —, transformando metais em lindas peças de arte para decorar prédios islâmicos. Até que um dia anunciou que dedicaria sete anos de sua vida cuidando de animais e outros sete anos reparando estradas de povoados da região.

Ele queria encorajar seus alunos a trabalhar duro, servindo de exemplo para que entendessem a necessidade dos esforços pessoais para se ter uma vida digna, sem dívidas terrenas e espirituais. Seus princípios de conduta baseavam-se no não uso da autoridade, na pureza espiritual e na rejeição a todo e qualquer tipo de ostentação — ensinamentos, aliás, levados ao pé da letra por seus simpatizantes, que rejeitaram a presunção de líderes comunistas.

O santuário está envolto em superstições, como é a própria vida de Baha-al-din. Uma das crenças diz respeito ao número sete. Esse número, que tem significado sagrado para os sufis, tem forte presença na vida do mestre. Um manuscrito no museu, que Makhsuma traduziu para mim, diz que ele veio ao mundo aos sete meses e aprendeu as palavras sagradas do Alcorão no sétimo ano de vida. Aos setenta, respirou pela última vez. É dele o ditado: "Se você semear as sementes do bem, elas alcançarão sete almas e delas germinarão 700 feitos positivos."

Para quem visita o santuário, a tradição recomenda ao peregrino completar três voltas em sentido anti-horário ao redor da tumba de Baha-al-din. Um tronco secular nos arredores — que os peregrinos acreditam ter conexão com o líder espiritual — serve a oferendas de dinheiro e de alimentos. Passar embaixo daquela antiga árvore ou simplesmente tocá-la traz boa sorte.

Em 1993, o complexo foi restaurado com donativos de países islâmicos. Sua reabertura ao povo muçulmano serviu, na verdade, para formalizar o renascimento oficial da religião, que vinha tentando respirar um pouco de liberdade desde o governo reformista de Mikhail Gorbatchov, na década de 1980.

Quando chegamos ao jardim principal do santuário, um grupo formado por mulheres e crianças reunia-se ao redor da tumba de Baha-al-din, onde havia um homem sentado em posição de lótus à sombra de uma amoreira maravilhosa.

— Veja, aquele rapaz é um dervixe — disse nossa intérprete, preocupando-se em falar bem baixinho.

Jovem, com aparência de vinte e poucos anos, ele vestia uma túnica preta longa, o que realçava sua aparência monástica, e segurava na mão direita o Alcorão aberto. Usava também o *dopi*, o tradicional chapéu preto, bordado com linhas brancas. Bem engomado, o *dopi* tem o formato de uma pequena caixa quadrada.

— Você sabe por que o *dopi* tem quatro lados? — perguntou ela.

— Não, não tenho a mínima idéia.

— Os quatro lados representam o norte, o sul, o leste e o oeste. Assim, quem o usa está, de alguma forma, sempre voltado para Meca.

É curioso como pequenos detalhes como esse adquirem grande importância cultural para um povo. Em toda a Ásia Central, quase todo muçulmano usa um *dopi*.

Era melhor interromper a conversa. Agora, o sacerdote recitava orações e, quando terminava, era solicitado a responder dúvidas do grupo. De vez em quando, levantava-se para oferecer quitutes e água para a platéia, servidos por ele mesmo numa bandeja de prata. Fazia parte de um rito sagrado, constatei, tamanha a reverência e respeito que as pessoas demonstravam ao pegar a comida ou as pequenas xícaras de louça para beber a água.

Sentamos distante, para não sermos notados e também em sinal de profundo respeito à cerimônia mística. A atmosfera do ambiente era incrivelmente serena, ampliada pelos cânticos sagrados que o dervixe tinha iniciado repentinamente. Fechei os olhos.

Para os sufis, cânticos e músicas são meios eficazes de pacificar e elevar a alma. A seita conhecida como sufismo origina-se das mesmas fontes do

Islã, ou seja, o Alcorão e as Sunnas — as normas pregadas por Maomé. O Profeta, aliás, é considerado o primeiro sufi na linha mística dessa ordem religiosa, que acredita ser possível se unir a Deus por meio da purificação da consciência, da alma e da inteligência.

De certa forma, o sufismo poderia ser considerado uma blasfêmia, já que no Islã há uma ênfase muito forte na diferença existente entre Alá e os seres humanos. Para os sufis, a aniquilação do ego permite a aproximação de Deus com as pessoas e, de alguma forma, elas podem até mesmo se transformar em Deus. É óbvio que os radicais do Islã resistem a essas idéias.

A irmandade sufi espalhou-se com grupos de peregrinos que cultivavam a piedade e se impunham uma vida simples e meditativa. Eles viajaram intensamente desde a Turquia à China, andaram pela Pérsia, Afeganistão, Índia e as montanhas do Karakoram, onde hoje é o Paquistão. A palavra sufismo vem do árabe *suf*, ou lã, que designava os primeiros místicos dessa doutrina, vestidos simplesmente numa túnica de lã, símbolo de espiritualidade.

O jornalista Mateus Soares de Azevedo, no livro *Iniciação ao Islã e sufismo*, explica que "os rituais do sufismo estão baseados no que o Alcorão diz. Antes de mais nada, os sufis praticam os ritos obrigatórios para todos os muçulmanos, isto é, as cinco preces diárias, o jejum no Ramadã, a esmola e a peregrinação a Meca uma vez na vida. Tudo isto, sem dúvida, com maior compreensão de seus significados profundos ou esotéricos do que o fiel comum".

Ele continua, relatando que entre os sufis há ainda "devoções como o *dhikr* (invocação), a *khalwah* (retiro), o *majlis* (oração conjunta) e a recitação do *wird* (rosário). A invocação, ou lembrança de Deus, consiste na recitação de um nome divino e é o mais poderoso de todos os ritos. É a forma mais eficaz de contato com Deus. Um ensinamento sufi diz que 'Deus invoca o Seu nome desde toda a eternidade', e o místico apenas participa deste ato divino.

"O retiro espiritual consiste no recolhimento individual e solitário do iniciado em uma sala de oração, ou mesmo num ambiente natural, junto a um lago, em uma floresta ou numa montanha. Durante o retiro, pratica-se a meditação e a invocação. A oração em comum é o complemento do retiro. Geralmente nessas reuniões dezenas de dervixes se juntam para cantar hinos sagrados e invocar o nome de Deus. As orações do rosário islâmico variam. Uma de suas fórmulas significa a retirada na solidão; o fiel retira-se do exterior — do mundo — para o seu interior e centro."

Assistir a uma apresentação dos "dervixes rodopiantes" com suas danças e músicas alucinantes é uma aula sobre os rituais sagrados do sufismo. Conhecidos desde o século XIII na Pérsia, esses religiosos são capazes de dançar horas e mais horas num rodopio constante, demonstrando habilidade e concentração incríveis com o eixo central de seus corpos. Com a dança e o profundo estado meditativo, eles afirmam entrar em contato com as forças divinas.

Quanto à música, apesar de condenada por muçulmanos fundamentalistas, ela é particularmente necessária para a alma, segundo os sufis. Há inclusive estudos religiosos sobre tratamentos musicais para a cura de doenças. A execução e audição da música tradicional é usada para conduzir o homem do domínio da matéria para o do Espírito.

É incrível como a música tem presença na vida do povo uzbeque. Não foram raras as vezes que encontramos pessoas com incrível habilidade para tocar grande variedade de instrumentos, fossem de percussão, de corda ou de sopro. Uma aptidão que também presenciei ser comum ao povo uigur da China muçulmana.

Quando abri os olhos, um grupo se preparava para deixar o pátio onde estava o mulá. As mulheres e as crianças que tinha visto logo que chegamos já haviam partido, sem que eu percebesse. Agora, outros peregrinos, que não notei chegarem, retiravam-se.

A essa altura, o dervixe já tinha trocado vários olhares com os estranhos que se mantinham à distância dos cultos, que duravam de acordo com as solicitações das pessoas sentadas aos pés da tumba de Baha-al-din.

Percebi quando ele moveu as mãos para Makhsuma, sinalizando para nos aproximar. Muito cortês, fez um gesto para sentarmos próximo a ele. Perguntou à nossa intérprete de onde éramos.

De perto, com sua barba cerrada, porém curta, tinha um magnetismo pessoal e olhar atencioso, como se quem estivesse à sua frente fosse a pessoa mais importante do mundo. Sua presença emanava conhecimentos ancestrais, de ascetas que num passado distante perambulavam pelos rincões da Pérsia e da Ásia Central em busca de suas verdades.

Ele iniciou uma longa oração, recitada num cântico harmonioso que preenchia o silêncio do pátio. Fez uma pausa e ficou em estado meditativo.

— Ele está abençoando a viagem de vocês — explicou Makhsuma.

Em seguida, levantou-se e nos ofereceu doces amarelos, cujo sabor não reconheci, e água — cumprindo o mesmo ritual de oferenda que eu observara antes. Comemos, bebemos a água, e ele moveu a mão em direção ao seu coração e fechou os olhos. Foram pequenos gestos enigmáticos, mas que nos tocaram a todos, e que não precisavam de traduções para explicar o que estava ocorrendo. Makhsuma estava visivelmente emocionada com a cerimônia.

Em seguida nos despedimos, curvando cabeças em sinal de respeito, e o jovem mulá levantou-se para encher com água um jarro de prata que mantinha consigo. Em frente à tumba, uma torneira fornecia-lhe a água, provavelmente considerada sagrada pelos peregrinos sufis. Aqueles breves momentos tinham sido uma grande honra para todos nós, um privilégio ter ficado frente a frente com um legítimo representante espiritual da ordem secular dos dervixes.

A parte externa do complexo de Baha-al-din é um parque gramado, sombreado por árvores frondosas, com banheiros e água. Um convite para os peregrinos descansarem e se reunirem em volta de toalhas repletas de frutas, pães e bules de chá. A atmosfera, ao contrário do que se pode imaginar, é de pura algazarra. Crianças gritam e correm por todos os lados, bebês choram, grupos de homens e mulheres conversam animadamente, velhos jogam dominó, enquanto outras pessoas reúnem-se para orar em voz alta.

Observávamos esse burburinho inesperado quando ouvimos uma senhora nos chamar em voz alta, quase gritando:

— *Pakistani? Pakistani?*

Caminhei em direção a ela.

— *No, no! No Pakistani!* — tentei me comunicar, entendendo que ela queria saber se erámos do Paquistão.

— *Amerikâ? Amerikâ?*

— *Anglia? Anglia?* — questionaram outras mulheres, indagando se vínhamos dos Estados Unidos ou da Inglaterra.

— *Brazil! Brazil! Pelé! Football!* — mantive o diálogo de pé, meio truncado, mas era o início de uma conversa.

— Ah, *Brazil! Football! Coffee!* — disse a mais velha delas, fazendo sinal de positivo com o dedão e demonstrando que entendia muito bem do que eu falava.

— *Fergana! Fergana!* — continuou ela, batendo com a mão aberta no lado esquerdo do peito, informando que vivia naquela região sulina do Uzbequistão. E ficou ali na minha frente, escancarando um sorriso com dentes de ouro salientes.

Estavam iniciadas as apresentações e, a essa altura, já estávamos rodeados de crianças dando gargalhadas, adolescentes e mulheres de vinte e poucos anos também sorrindo com seus dentes de ouro. Gentis, ofereceram-nos chá de jasmim. Interessei-me em saber quem eram aquelas pessoas e pedi auxílio a Makhsuma para ser nossa intérprete na conversa.

Hamrohon, mãe de nove filhos — "todos casados" —, chefiava o grupo de mulheres de Fergana, enquanto o marido, reunido separadamente a uns vinte metros adiante, se responsabilizava pela turma de homens. Juntos, formavam uma romaria animada de umas trinta pessoas. Aos setenta anos, ela estava radiante.

— Acabo de voltar de minha primeira peregrinação a Meca — contou. — Este era um sonho antigo, e nunca imaginei que um dia pudesse realizá-lo. Sou grata a Alá e à independência do Uzbequistão!

Hamrohon tinha a força de uma líder. Apesar de nossa conversa não ter se prolongado muito, percebia-se que era bem-informada e até politizada. Quando falava, as mulheres em volta sinalizavam com a cabeça indicando que estavam de acordo com suas palavras. Era realmente muito carismática.

— Vocês gostam de música? Vou cantar para vocês!

Antes que respondêssemos, ela já havia fechado os olhos, como que buscando inspiração em algum lugar distante, e iniciou uma bela e longa melodia, que lembrava a musicalidade dos mantras. Realmente era uma oração. Makhsuma nos explicou que a canção rogava a Alá para proteger o povo uzbeque e seus governantes, e que a liberdade do país se estabelecesse para sempre. Ao término do canto, Hamrohon juntou as mãos em concha e passou-as sobre a face — gesto que representa o agradecimento às bênçãos divinas, que foi imediatamente repetido pelo grupo.

Antes de nos despedirmos, Hamrohon pegou a bolsa e tirou de dentro uma nota de 200 *sums*, o dinheiro local, e colocou-a em minhas mãos. Fiquei embaraçado com a situação, o que foi prontamente compreendido por Makhsuma. Ela veio em meu socorro:

— Guarde esse dinheiro. Os peregrinos, quando simpatizam com outros caminhantes em visita a sítios sagrados, gostam de demonstrar afeição.

O dinheiro uzbeque tem as estampas mais bonitas que já vi, com cores vivas e variadas, além de ilustrações reproduzindo mosaicos de azulejos e importantes monumentos islâmicos do país. Mantenho a nota em minha carteira até hoje.

Como morava nos arredores, Makhsuma não precisava voltar para Bukhara. Escreveu no meu caderno de anotações o endereço de sua casa e despediu-se com o mesmo sorriso franco de quando nos conhecemos. Abriu a sombrinha florida para proteger-se do sol e sumiu após atravessar a entrada do santuário.

O dia terminou na praça Lyab-I-Hauz. A noite vinha chegando e os mais idosos, que passaram o final de tarde por ali, retiravam-se para suas casas. Há séculos essa gente se reúne debaixo das sombras das amoreiras para jogar dominó ou xadrez, falar de política, dos problemas com as plantações e da vida alheia. É um dos lugares mais interessantes da cidade e sintetiza o espírito da Ásia Central atual, onde convivem as tradições e a vida moderna influenciada pelo Ocidente.

O ambiente da praça é reflexo da ostentação do clero muçulmano de 400 anos atrás, que projetou e executou sua construção. Na língua tadjique, Lyab-I-Hauz significa “ao redor do lago”. O centro das atenções ali é o lago artificial com sua fonte, que de tempos em tempos jorra água com bastante pressão para o delírio da garotada nas tardes de calor. Os prédios islâmicos, que ficam à sua volta, exibem na fachada e nos interiores o luxo e a eficiência alcançada pelos arquitetos islâmicos do passado.

Quando chega a noite, a praça ganha outra vida. A atração torna-se a parte dos fundos, onde estão as *chaikhanas* — as tradicionais casas de chá da Ásia Central, que vimos em todas as cidades grandes do Uzbequistão. As *chaikhanas* funcionam geralmente ao ar livre. Há uma plataforma elevada, forrada com belos tapetes persas e almofadas macias, com mesa baixa no centro. O freguês deixa o sapato no chão e senta-se, ali no alto, de pernas cruzadas. Mais que um estilo de vida local, esses lugares funcionam como um estimulante para as amizades e os negócios.

Bakhodir exibia uma capacidade incrível de relacionar-se com as pessoas. Tinha amigos por todos os lugares por onde passávamos e, assim que chegamos em frente a uma das *chaikhanas*, foi abordado pelo dono da casa. Abraçaram-se, deram gargalhadas.

— Vamos ficar aqui. Vocês vão gostar da comida e a música é boa!

Em cinco minutos, uma das plataformas foi arrumada para nós: pães, frutas, bule de chá, amendoins, tâmaras, castanhas, frutas secas, saladas, iogurte e uma garrafa de vodca. O *shashlyk* "de frango", como Bakhodir já havia aprendido, estava sendo providenciado. Sentia-me como um paxá turco, sentado sobre tapetes orientais, provando iguarias do Oriente e sendo servido de chá em bules cuidadosamente decorados.

O aparelho de som foi ligado e as caixas retumbaram músicas iranianas, turcas e uzbeques, que misturavam instrumentos musicais acústicos do Oriente com os elétricos ocidentais — tambores, canções persas e guitarras. O resultado era um ritmo enérgico, que convidava para a dança. Um rapaz e duas moças vestidas em calças compridas e blusas de malhas apertadas que o acompanhavam começaram a dançar na pista improvisada ao ar livre. Ele requebrava-se completamente bêbado, e as jovens, cada uma delas segurando um copo grande com gelo e vodca pela metade, logo estariam naquele mesmo estado alcoolizado.

Ao contrário da tarde contemplativa no santuário de Baha-al-din, agora eu testemunhava outra confraria existente no Uzbequistão: aquela motivada por garrafas de vodca e música alta. Era algo incomum mesmo em países muçulmanos mais abertos e acostumados ao turismo ocidental, como o Marrocos, onde bebida alcóolica é servida apenas em clubes ou restaurantes fechados. Mas aquela cena não era atípica para quem vivia na região. Sentados numa plataforma próxima, uns dez senhores, todos usando os tradicionais *dopis*, não consumiam álcool e estavam tão absortos numa conversa animada que nem se incomodavam com a música ou a bebedeira.

O nosso *shashlyk* ainda não tinha sido servido quando cinco jovens na faixa dos vinte e poucos anos chegaram para cumprimentar Bakhodir. Eles se vestiam modestamente, com tênis e camisas de mangas curtas enfiadas por dentro de calças compridas de algodão. Havia duas garotas mais preocupadas com a aparência. Estavam bem maquiadas, com anéis nos dedos, usando calças justas e blusas de seda que deixavam ombros e marcas de sutiã à mostra. Uma delas tinha o cabelo bem curto, rente à nuca, num estilo moderno. Eram muito bonitas.

— São meus amigos aqui de Bukhara — disse Bakhodir.

Cumprimentamos o grupo com apertos de mão e o convidamos para sentar. Mais copos chegaram à mesa e a vodca era entornada em rodadas animadas com brindes a cada minuto. Bebiam com vontade, virando os copos como se estivessem num concurso de "quem bebe mais". Eram universitários, faziam arqueologia, história e línguas — cursos muito propícios, por sinal, para quem mora em Bukhara. As meninas não falavam inglês com fluência, mas estavam freqüentando aulas desse idioma. Elas eram tadjiques, povo que sofre certo preconceito no Uzbequistão. A rixa entre essas duas etnias é antiga, mas intensificou-se quando a União Soviética acabou e os dois países passaram a brigar por posse de terras nas fronteiras. O próprio presidente Islam Karimov, contam os uzbeques em rodas informais, esconde sua descendência. Dizem que sua família teria origem tadjique.

— Os uzbeques se julgam superiores e os tadjiques os consideram uns infantis — uma delas desdenhou os amigos, que responderam com uma vaia. Mesmo que fosse brincadeira entre amigos, havia ali um tom de rancor.

O *shashlyk*, enfim, foi servido. Comemos com disposição, enquanto nossos convidados não paravam de beber. Malika, a de cabelos curtos, desceu cambaleando da plataforma e foi dançar. Sua amiga Dildora nem isso conseguiu: já estava prostrada na mesa, balbuciando frases enroladas e incompreensíveis. Fomos todos para a pista e até um dos cozinheiros da *chaikhana* deixou de lado os espetinhos para exibir alguns movimentos tipicamente indianos, mexendo a cabeça de um lado para o outro como se não tivesse pescoço. Todos acharam graça e caíram na gargalhada. O relógio marcava uma hora da manhã e, naquele ritmo, a noite iria longe.

— Vamos jogar sinuca? — propôs um dos rapazes.

— É uma boa idéia. Mas precisamos deixar Dildora em casa. Olhem o estado dela, nem consegue ficar de pé! — disse outro também com dificuldade para ficar de pé.

Bakhodir, Toni e eu preferimos fechar a conta e caminhar até o hotel. Não havia mais clientes e os empregados já limpavam as mesas e varriam a calçada em frente às *chaikhanas*. Cruzamos a Lyab-I-Hauz junto com o grupo ainda excitado e falando alto, enquanto Bukhara estava mergulhada no sono, em profundo silêncio.

A turma apertou-se num velho carro de quatro portas, cuja marca não consegui identificar no escuro. Por umas três vezes tentaram dar a partida no motor e ele não respondeu. Por fim, arrancaram pelas ruas silenciosas da cidade esquecendo-se de acender os faróis.

"Surpreendente mundo muçulmano", fui dormir com esta frase na cabeça.

Os dias em Bukhara eram muito intensos, por isso acordava muito cedo, nunca depois das seis horas. Saía para caminhar sem destino, observar a cidade e tirar fotos antes do café da manhã do hotel ser servido, às oito horas. Naquela manhã, entretanto, Bakhodir não apareceu. Certamente estava se recuperando da bebedeira da noite anterior.

A viagem pelo Uzbequistão estava sendo reveladora. Todos os dias havia novidades, descobria histórias, encontrava pessoas marcantes.

— Qual será a boa surpresa que o dia nos reservará hoje? — brincou Toni enquanto tomávamos café na varanda do hotel.

Era curiosa a sensação de que compartilhávamos. Tanto ele quanto eu sabíamos que algo de surpreendente aconteceria durante o dia. Como se já estivesse destinado àquela jornada. Lembrei-lhe, certa vez, de um antigo disco dos Novos Baianos de nome muito sugestivo para aquela viagem, chamado "Caia na estrada e perigas ver". Por mais que se leia, se pesquise ou estude, nada se compara ao conhecimento que se adquire quando se está na estrada.

Quando a cidade começava a se movimentar, ainda cedo, passamos em frente a uma caravançarai cuja placa em letras bem desenhadas informava, em inglês: *Artisan Development Center* (Centro de Desenvolvimento do Artesão). Os portões de ferro artisticamente retorcidos estavam fechados. A antiga hospedaria compunha-se de um enorme pátio central e um prédio de dois andares ao redor. Várias portas de madeira trabalhada e bem conservadas, ainda trancadas, sugeriam ser cada uma delas uma pequena loja ou um ateliê. O lugar merecia ser explorado. Andamos mais uns trinta minutos e voltamos para lá.

Assim que entramos na caravançarai uma explosão de cores e de pessoas fazendo artesanato nos pegou de surpresa. Havia mulheres e adolescentes bordando coletes, chapéus e toalhas de mesa; um homem sentado a um rústico tear tecendo belas peças de seda; garotos esculpindo em madeira; tapetes pendurados por toda parte e jovens lutiers fazendo e afinando sofisticados instrumentos musicais. Músico aficionado, Toni seguiu em direção à loja musical como um cão faminto farejando a caça.

Além dos seus tempos de andanças pela Ásia, Toni viveu dez anos em Nova York trabalhando como músico profissional, sempre tocando instrumentos de percussão, na década de 1980. Gravou com Arto Lindsay, tocou com Naná Vasconcelos, subiu no palco com a banda Duran Duran num show no Madison Square Garden, fundou uma escola de samba no Lower East Side, em Manhattan. Toni entrou na loja de instrumentos, trocou sorrisos e sem-cerimônia sacou da mochila seu objeto inseparável, além da câmera de vídeo: um legítimo pandeiro brasileiro. Batucou *Aquarela do Brasil*, de Ari Barroso, e os músicos uzbeques ficaram curiosos com o instrumento, com o ritmo, com a sonoridade da música.

— Como se chama esse instrumento? — perguntou um deles, em inglês.

— Pan-dei-ro — respondeu Toni, pausadamente.

Como fizeram cara de que não tinham entendido muito bem, ele repetiu:

— Pan-dei-ro.

— Ah, pandeiro! — imitou, com pronúncia perfeita em português logo na primeira tentativa.

— Excelente instrumento! Posso experimentar?

— Claro, por favor!

Ele examinou o pandeiro, tentou reproduzir a *Aquarela* tocada minutos antes por Toni, mas não saía do básico ti-qui-tum/ti-qui-tum.

Seu desempenho acabou arrancando risadas de quem estava por perto.

— E vocês, são de onde? — perguntou, bem-humorado.

— Do Brasil.

— Muito prazer, meu nome é Bobur.

Bobur foi ao fundo do ateliê e começou a organizar um desfile dos instrumentos que fabrica. Ele tocava de tudo, desde os mais refinados instrumentos de corda até os de percussão. Mostrou-nos o *rubap*, com quatro cordas de aço, braço fino e comprido, parecido com o alaúde. Depois tocou o *dutor*, que tem duas cordas e corpo bojudo. Exibiu-se exímio em instrumentos de sopro, como numa flauta de madeira, e, por fim, nos apresentou o *tor*, um dos mais exóticos. Também parecido com o alaúde, tem onze cordas, mas apenas sete delas são tocadas — as outras quatro servem para reverberar o som produzido pelas restantes. Bobur era dono de uma refinada técnica musical e artística só possível de se ver no Oriente.

Estava feliz em fazer aquela breve apresentação para os estrangeiros em visita ao seu ateliê. Tentou novamente tocar o pandeiro. Dava gargalhadas e ficava, ao mesmo tempo que ria, prestando grande atenção quando Toni tocava um sambinha bem brasileiro.

— Vocês fazem o quê, no Brasil? São jogadores de futebol? — brincou Bobur.

— Eu trabalho com vídeo e cinema. E o Sérgio Túlio é jornalista — respondeu Toni.

— Você já conversou com Matluyba Bazarova? — voltou-se para mim.

— Não. Quem é?

— Matluyba é a diretora do Centro do Artesão. Acho que seria interessante você falar com ela. Ela é muito simpática.

Solícito, ele gritou para o pátio:

— Abdulaim! Abdulaim!

Depois completou o chamado com alguma frase que não compreendi, mas deveria ser algo do tipo "Venha aqui rápido!", tamanha foi a rapidez com que o garoto subiu as escadas e apareceu na nossa frente.

— Abdulaim é um dos estudantes que está aprendendo a fazer instrumentos. Ele fala bem o inglês e pode ajudar você como intérprete na conversa com Matluyba.

Completamente absorvido pelos ritmos alucinantes da percussão de Bobur, Toni ficou na oficina de instrumentos e eu fui encontrar-me com Matluyba. Meu intérprete momentâneo tinha quinze anos e, como muitos jovens de sua idade, sonhava em conseguir uma bolsa para estudar no exterior.

— Estou esforçando-me bastante para passar nos testes, que acontecem no próximo ano. Se for aprovado, quero cursar arquitetura na Turquia — confidenciou-me Abdulaim.

Matluyba, na verdade, já sabia que havia dois visitantes no ateliê de Bobur e planejava ir conversar com eles. Não são muitos os estrangeiros que aparecem por lá. Quando alguém de fora circula pela caravançarai, ela tem o hábito de informar sobre o trabalho realizado pelo Centro do Artesão.

Eu estava curioso por conhecê-la, principalmente porque se tratava de uma mulher numa posição de comando numa sociedade muçulmana. Morena de estatura mediana, 48 anos, Matluyba falava pausadamente. Quase não se viam seus olhos, escondidos atrás das lentes grossas dos óculos enormes.

O Centro, ela informou, foi inaugurado em 1995 por iniciativa dos artesãos de Bukhara, onde vivem cerca de vinte mil artistas, entre a cidade e a área rural. Isso representa quase 10% da população de 255 mil pessoas.

— Existem muitos artesãos por aqui! — surpreendi-me.

— É verdade. Bukhara é o principal pólo de artesanato do país. Só aqui no Centro temos trezentas mulheres coordenando projetos educacionais! — exclamou.

No passado, Bukhara foi famosa pelos bordados, pela tapeçaria e pela grande diversidade de artesanato que produzia. Quando os soviéticos chegaram, na década de 1920, os trabalhos manuais foram considerados "coisa de gente atrasada" e os artesãos obrigados a deixar a atividade para se ocupar da colheita de algodão ou outra atividade de interesse coletivo. Setenta anos foram o bastante para que muitos artesãos morressem e, junto com eles, tradições artísticas se perdessem.

— O objetivo do nosso trabalho é recuperar o que perdemos, ensinar os jovens e reencontrar antigos mestres, que ainda tenham conhecimento de estilos artísticos que estão desaparecendo.

Um dos integrantes do Centro, Husain Qosimov, de 31 anos, havia descoberto recentemente uma preciosidade. Ele vira numa casa rural um intricado suporte para o Alcorão, construído de madeira e com desenhos de letras árabes vazadas — algo que não se via mais no Uzbequistão. Husain bateu de porta em porta, até que chegou a um antigo mestre, em Tashkent, o qual conhecia os segredos para confeccionar a peça. Em 2000, uma dúzia de pessoas ensinavam jovens estudantes a produzir o raro artefato.

— É uma emoção muito forte que sentimos em saber que estamos recuperando nosso passado, já à beira da morte — disse-me Husain mais tarde.

Os esforços de Matluyba são exemplares. Ela conseguiu que os artistas tivessem isenção de impostos por cinco anos e atraiu a atenção de governos estrangeiros e das Nações Unidas, que ajudam financeiramente o projeto. Com parte da verba que tem chegado até o Centro do Artesão, grupos de mulheres já foram à cidade indiana de Hyderabad para aprender técnicas de bordado uma vez usadas no Uzbequistão, mas depois esquecidas. Pessoas da Turquia, do Irã e da Índia também fazem o caminho inverso, vindo para Bukhara ensinar técnicas artísticas que um dia fizeram parte da vida dos uzbeques.

Esse interesse pelas raízes culturais surtiu efeitos inesperados. O interesse recém-despertado pela Ásia Central levou a arte uzbeque a exibições em museus e galerias de Boston, São Francisco e Washington, nos Estados Unidos, em meados da década de 1990. Em Samarkand e em Khiva eu veria outras organizações como a de Bukhara, em plena atividade, com crianças atentas aos ensinamentos de velhos mestres, donos de conhecimentos seculares para moldar cerâmicas, esculpir madeira, bordar, tecer tapetes. São lições de vida e de esperança incontestes para com o futuro.

Tambores e pandeiros continuavam ecoando do ateliê de Bobur. Voltei para lá, observando agora com outros olhos a garotada debruçada sobre crochês e teares, sendo incentivada nos mais diferentes artesanatos. Toni estava encantado com a riqueza musical da oficina de Bobur e estendeu-me um convite, um pequeno pedaço de papel onde havia um mapa no verso e o seguinte texto na frente:

"Bukhara English Puppet Theater presents Afandi & Polvon or The Bukharan Wedding. Perfomance starts at 7 pm, except on Sundays. Address: Noghay Caravanserai." (O Teatro de Bonecos em Inglês de Bukhara apresenta Afandi e Polvon ou Um Casamento em Bukhara. O espetáculo começa às sete horas da noite, exceto aos domingos. Endereço: Caravançarai Noghay.)

— Acabei de receber. Uns atores passaram aqui e nos convidaram para assistir a um espetáculo de fantoches.

— De fantoches?! Que ótimo!

— Disseram que começa às sete horas da noite, em ponto!

O teatro ficava em uma caravançarai justamente vizinha ao Centro do Artesão. O convite era irrecusável. Não havia dúvida de que estávamos numa região onde a arte inspirava a vida das pessoas.

Toni e eu nos separamos. Cada um foi explorar alguma particularidade da cidade, observar alguma mesquita com mais atenção, tirar fotos, captar imagens. À noite, quando me preparava para o teatro de fantoches, quase me perdi pelas ruas de Bukhara. Meti-me no meio de uma confusão surgida de repente no meio da rua.

Um bando de homens, no mínimo uns cem, caminhava segurando tochas de fogo e gritando palavras incompreensíveis. Um jovem, cujo rosto não consegui ver nem chegar perto, era carregado nos ombros e remetido para cima. O clima era de festa. Juntei-me a eles. Entramos por becos, saímos em vielas, que ficavam encantadoramente iluminadas pelas luzes trêmulas das tochas. Na baderna que ia avançando pela cidade, fiquei ansioso em encontrar alguém que falasse inglês para explicar-me o que vinha a ser aquela manifestação.

Até que um garoto contou-me que se tratava de uma comemoração para o noivo, que se casaria em dois dias. Até lá, iam beber, comer e fazer arruaças sem parar. A noiva, disse-me ele, também festejava na casa dos pais com suas amigas e mulheres da família.

Quando cheguei ao local do teatro de fantoches, já eram quase oito horas da noite. Toni tinha acabado de chegar. Também se metera num evento, no mínimo, inesperado.

— Acabei de assistir a um desfile de moda no pátio da antiga madrassa na praça Lyab-I-Hauz! Você acredita? — disse ele.

Mais tarde, assisti às imagens que ele gravou do desfile. Mulheres lindíssimas e bem maquiadas, rodopiando em finos vestidos de seda confeccionados na cidade. Bukhara respirava ares cosmopolitas.

Os artistas que manipulavam os bonecos, pacientemente, tinham nos esperado chegar. Na verdade tratava-se de um ensaio aberto — o que nos deixou sentindo menos culpados com o atraso de quase uma hora. A apresentação tinha toques de requinte. Música ao vivo, com adolescentes em túnicas brancas e tocando os grandes pandeiros chamados *doiras*. Antes da abertura do espetáculo, meninas de seis ou oito anos dançavam com coloridos vestidos de seda, balançando os braços como se fossem serpentes. Também havia um fantoche gigantesco de quase três metros, que mexia os braços e a cabeça por meio de longas varas de madeira manipuladas por três atores.

Um espetáculo como nunca tínhamos visto. A peça mostrava textos do folclore uzbeque, contos de princesas, sultões e bruxas malvadas. A apresentação era em inglês e não em uzbeque, como imaginei que seria.

— Fazemos apresentações na língua inglesa por duas razões principais — explicou-me Sanobar, logo depois, num inglês impecável.

Sanobar é uma jovem bem magra e de olhos negros expressivos. Tem 22 anos e é a coordenadora da trupe de atores.

— Primeiro, porque queremos que os visitantes estrangeiros entendam nossa cultura. E segundo porque é bom para nossas crianças aprenderem a língua inglesa, que será de extrema importância para o futuro delas.

O Uzbequistão estava sedento para crescer e sair do anonimato forçado. E os uzbeques estampavam esse sentimento nos rostos e em tudo que faziam.

Antes de partir de Bukhara em direção a Khiva, subi no alto do minarete Kalon, enfrentando suas centenas de degraus que serpenteiam torre acima até chegar ao topo. Do alto dos seus 48 metros, ainda sem fôlego, deslumbrei-me com o sol se pondo nas planícies áridas que envolvem Bukhara. De lá, olhei a imensa muralha que contorna a parte antiga da cidade. Há um imenso portal na entrada — o mesmo por onde um dia, num passado distante, atravessaram caravanas de mercadores; conquistadores como o imperador Alexandre, o Grande, o guerreiro Gêngis Khan e o viajante Marco Polo. E também os soldados árabes e sacerdotes sufis, trazendo as palavras do Alcorão ao vasto território da Ásia Central.

7

Depois do Deserto, a Terra de Poliglotas

Bakhodir apagou os faróis do carro por alguns segundos. Mesmo assim, dava para enxergar a estrada metros adiante, reta e livre, solitária, sem carros ou tratores transportando algodão. A lua estava no auge da fase cheia e refletia a luz com intensidade tão espetacular, que era possível verificar se havia camelos selvagens na beira da rodovia — que diziam perambular nesse trecho do deserto de Kyzyl Kum.

A viagem até Khiva, cidade medieval que inspira a imaginação de crônicas árabes desde o século X, era longa. Seriam cerca de 420 quilômetros pela rodovia de asfalto castigado por caminhões carregados de algodão, já que ali se espalham vastos campos desse cultivo. Sem falar nas costumeiras barreiras do exército que, dessa vez, teriam uma novidade. A estrada faz um ligeiro desvio por dentro do território do Turcomenistão e, Bakhodir já nos havia alertado, os militares turcomanos costumam não ser muito simpáticos com os uzbeques. Mas não tivemos nenhum problema extra, apenas o de sempre: passaportes checados, refletores nos olhos, porta-malas revistados e, claro, nosso amigo Bakhodir expressando indignação ao passar por tantas sabatinas.

Numa das poucas curvas da estrada, os faróis altos iluminaram um enorme *outdoor* com a foto do presidente Islam Karimov abrindo um sorriso.

— Que tal o presidente de vocês? — provoquei.

— Eu não gosto dele. Está no poder desde o período soviético.

— Mas foi reeleito em 1995 com mais de 99% dos votos dos uzbeques...

— É verdade. Mas ele não é o líder ideal. É, sim, o que necessitamos neste momento delicado de nossa história. Acabamos de nos tornar independentes...

Karimov tem recebido críticas por causa do estilo autoritário de governar, provavelmente herdado dos tempos em que pertencia à hierarquia do Partido Comunista soviético. Criticam-no porque, apesar de afirmar comprometimento com reformas democráticas, seus projetos de governo exalam o medo que ele tem de perder o controle do país. Ainda hoje, protestos públicos estão proibidos — pressões à liberdade que, como disse Bakhodir, talvez sejam necessárias neste período delicado da história uzbeque.

Tendo que administrar problemas nas fronteiras desde o esfacelamento da União Soviética e com dois de seus vizinhos — o Afeganistão e o Tadjiquistão — envolvidos com conflitos étnicos e religiosos, Karimov controla os ânimos dos oposicionistas com mão de ferro. Sobre seu governo pesam denúncias de violações aos direitos humanos, o que ele prefere desconversar. Contudo, a maioria da população, mesmo sendo muçulmana, aprovou quando ele instituiu a lei que impede a formação de partidos com fundamentos religiosos. Também não desaprovou quando, a partir de 1998, as mesquitas ficaram proibidas de transmitir pelos alto-falantes o *azan* — o chamado para as orações do dia.

"Temos receio de que os radicais islâmicos ganhem espaço no país", ouvi tal preocupação da boca de muitos uzbeques que encontrei nas casas de chá, nos hotéis e nas praças.

Uma das organizações mais temidas é o violento Movimento Islâmico do Uzbequistão, que estaria envolvido em explosões e seqüestros de ônibus em Tashkent, em 1999. Muita gente morreu naquela ocasião. Acompanhando o noticiário no jornal de língua inglesa *The Times of Central Asia*, fui informado de que terroristas do grupo uzbeque estavam promovendo incursões armadas no vizinho Quirguistão. O vale de Fergana, ao leste, é o foco de alistamento de militantes radicais, dizia o jornal. Fergana, aliás, é outro resultado inconseqüente das linhas fronteiriças criadas por Stalin. A região, de maioria uzbeque, foi distribuída de forma aleatória também entre o Quirguistão e o Tadjiquistão.

— Fergana está repleta de wahabitas atuando por lá. Eles conseguem entrar facilmente pela fronteira do Tadjiquistão — disse Bakhodir.

— Mas quem são os wahabitas? — fiquei curioso.

— São seguidores de uma seita islâmica chamada wahabita. Eles usam de violência para atacar todos e tudo que acham ser maldição ou moderno.

— Mas o que eles consideram "maldição ou moderno"? — perguntou Toni.

— Qualquer coisa que possa desviar a atenção da religião. Rádio, televisão, bebidas alcoólicas, festas que não sejam as religiosas, telefone... Mulher também não deve ir à escola — respondeu Bakhodir.

— E se alguém cometer algum delito? O que fazem? — continuou Toni.

— O mesmo que os talebans. Dependendo do tipo de crime, amputam mãos, apedrejam, enforcam...

— Entendi. Entre eles não existe legislação. É aquela velha história; julgam-se as pessoas de acordo com interpretações pessoais das leis do Alcorão — disse eu.

— E ninguém vai aparecer para contestar o que está escrito no livro sagrado, não é? — completou Toni.

— Isso mesmo. Já pensou se formos invadidos por grupos que agem como os talebans? — disse Bakhodir, expressando certa preocupação no olhar.

— Por isso aprovamos quando Karimov impôs uma série de limitações religiosas no país. Não queremos perder nossa liberdade, mais uma vez, depois de ficarmos tanto tempo nas mãos dos russos — refletiu.

Um ano depois daquela conversa uma reportagem no jornal *The New York Times*, feita por um jornalista baseado na Arábia Saudita, Neil MacFarquhar, despertou-me a atenção. Informava ele que o terrorista Osama bin Laden era orientado por uma fé particularmente austera e conservadora do Islã — o wahabismo, fundado no século XVIII. O termo tem origem no nome de Muhammed bin abd al-Wahhab, que viveu entre 1703 e 1787 e seria o fundador da Arábia Saudita, segundo acreditam muitos sauditas. Os seguidores dessa vertente, como é de se esperar, elogiam o Estado purista pretendido pelo taleban.

O tema religioso em discussão no interior do Hyundai vermelho continuava revelador.

— É impressionante como há tantas correntes no Islã, e tão disparatadas entre si — avaliou Toni.

— Isso mesmo. Tem pessoas, como os dervixes, que procuram Deus por meio da música, da dança, da poesia ou de experiências pessoais. E há os conservadores, que chegam a atitudes extremas, como os wahabitas — disse eu.

— Para ser um bom muçulmano basta acreditar em Alá e fazer boas ações — interveio Bakhodir.

— E quanto ao cumprimento das obrigações exigidas pelo Islã, como rezar cinco vezes ao dia, por exemplo? — queria aprofundar o assunto, já que ainda não havia visto nosso amigo muçulmano interromper a viagem uma vez sequer para fazer orações.

— Eu rezo e vou à mesquita quando sinto necessidade de aproximar-me de Alá.

— Mas você não se sente um infiel ao quebrar uma obrigação exigida pelo Islã? — continuei.

— Muitos uzbeques fazem exatamente assim. O mais importante é que estou em paz com Deus e com minha fé.

Bakhodir procurou uma fita cassete no porta-luvas do carro. Achou a que tinha escrito na capa *Mustt Mustt* e levantou-a, mostrando para nós dois.

— Vocês conhecem?

— Claro! É um dos meus sons favoritos! — disse, empolgado com a trilha sonora que iria animar parte da viagem noturna.

— Não acredito que você tem uma fita do Nusrat Fateh Ali Khan?! Toque já! — Toni também se animou.

Nossa viagem continuaria nos embalos de música sufi. Bakhodir aumentou o volume e pisou fundo no acelerador.

Chegamos muito tarde em Khiva. Já passavam das duas horas da manhã e fomos direto para o Khiva Hotel, uma madrassa do século XIX transformada em hospedaria desde os tempos soviéticos. Só consegui notar que no pátio amplo tinham duas plataformas ao estilo do das *chaikhanas*. Tocamos a campainha em cima do balcão. Uma senhora gorda, de cabelos avermelhados e desalinhados, veio nos atender. Aborrecida por termos interrompido seu sono, não demonstrou simpatia enquanto preenchíamos as fichas de entrada. Subimos para cair sonolentos num quarto avarandado com vista para o jardim interno. Por causa do calor avassalador, que dava a nítida sensação de estarmos sob uma temperatura mínima de 30 graus, alguns hóspedes e empregados do hotel dormiam ao ar livre sobre as plataformas do pátio.

Como de costume, Toni e eu acordamos bem cedo e fomos explorar Khiva, que ainda estava com as ruas quietas, adormecidas. Entre todas as cidades medievais do Uzbequistão, Khiva é a mais preservada entre elas. Tão conservada, que a impressão é que se está caminhando num museu a céu aberto. Essa sensação tornava-se ainda mais forte porque não havia uma só alma andando entre suas vielas estreitas, porém sufocadas por inúmeras mesquitas, minaretes, madrassas, tumbas e palácios, uns em frente aos outros, como se fossem peças distribuídas numa grande maquete.

Os primeiros seres que vimos desciam de uma das vielas em alta velocidade. Eram seis crianças entre cinco e oito anos de idade, correndo com mochilas nas costas e livros debaixo dos braços. Como qualquer criança dessa idade em cidades pequenas, visitantes sempre chamam a atenção — ainda mais quando carregam coisas não muito comuns ao cotidiano delas, como tripés, câmeras de vídeo e de fotografia. Elas pararam e ficaram rindo à nossa frente, com expressões de curiosidade e vergonha ao mesmo tempo.

Resolvi quebrar o gelo e fiz sinal para que olhassem pelo visor da câmera. Fizeram fila. Resolvi começar a conversa:

— Vocês falam inglês?

— Eu falo; ela fala; ele também; aquele ali não; esse aqui está estudando e essa aqui, minha irmã, vai aprender — disse o maior deles, apontando para cada um da turma enquanto falava e já iniciando uma longa amizade, que duraria até soar o apito da escola.

— Posso ver seu livro? — perguntei ao menor, que não passava dos cinco anos e não conseguia parar de rir, tapando timidamente a boca com a mão.

Era um livro de fábulas, ilustrado com desenhos infantis de camponeses e animais de fazenda. A mesma história estava escrita em inglês e em uzbeque. Pedi a ele que lesse um trecho. Ele respirou fundo e leu de tal forma que parecia estar declamando uma poesia, tamanha a sonoridade das palavras em uzbeque. Depois, leu em inglês. De repente, todos eles, de uma vez só, saíram numa correria desenfreada e gritando "*Good-bye, good-bye!*". Já tínhamos tomado o tempo deles e a aula deveria começar logo.

Se essas crianças tivessem nascido antes de 1991, certamente seus livros não teriam lições em inglês, apenas em russo. Uma das primeiras medidas do governo uzbeque após tornar-se república independente foi adotar o uzbeque como língua oficial do país e incentivar a população a voltar a falar o idioma materno. Assim que estátuas de Karl Marx e Lenin caíram, nomes de ruas, praças e edifícios públicos, antes em russo, foram imediatamente trocados por referências uzbeques. Ruas com nomes sugestivos, como Kommunisticheskaya, Lenina ou Proletarskaya, passaram a se chamar Timur ou Abdullah, seguidos de algum sobrenome famoso.

O conhecimento de línguas estrangeiras é algo impressionante no Uzbequistão. Nosso motorista Bakhodir falava "umas seis", a arqueóloga Makhsuma tinha o domínio de dez! Abdulbek Duysenov, um estudante universitário de Khiva, amigo de Bakhodir, tinha fluência em oito.

— Quais línguas você fala? — quis eu saber assim que Abdulbek nos foi apresentado.

— Uzbeque, russo, turcomano, tadjique, cazaque, turco, inglês e francês — respondeu ele com naturalidade, como se ser poliglota fosse algo comum.

Acrescente-se à lista de Abdulbek o hindi, falado na Índia; o persa, do Irã, e mais alguma língua européia, como o espanhol, e aí está um cardápio básico dos idiomas que muitos uzbeques conhecem.

— Estamos num país de poliglotas! Como sabemos tão pouco, nós ocidentais... — Toni não se conformava.

Essa polivalência em línguas tem explicação histórica. Desde tempos remotos, o país foi visitado, explorado, dominado e utilizado como passagem por missionários, mercadores e soldados de diferentes raças. Muitos ficaram e misturaram seus idiomas. O povo assimilou, e o resultado desse caldeirão lingüístico está vivo nas ruas. É claro que eles têm uma aptidão incrível para aprender novos idiomas. Em poucos dias de convívio, Bakhodir já arriscava algumas palavras em português, com entonações perfeitas.

"Tudo bem?", "Legal!", "Vamos comer?", repetia ele, divertindo-se com o que tinha aprendido de português.

Além do inglês, línguas faladas na Europa, como o espanhol e o francês, passaram a ter interesse recente no Uzbequistão, devido à abertura ao turismo externo e aos interesses do país em fazer parte do mundo globalizado.

— Estudei quatro anos na Turquia e tenho um irmão nos Estados Unidos — contou-me Abdulbek. — Atualmente estudo história, aqui em Khiva — continuou.

No dia que o conhecemos, como teria compromissos apenas à tarde — ele é professor numa escola primária —, nos convidou para mostrar alguns pontos históricos de Khiva. A cidade é uma coleção de todas as possibilidades arquitetônicas imagináveis e alcançadas pelos arquitetos islâmicos da Idade Média. A diferença é que apreciá-las em Khiva torna-se algo ainda mais interessante. O espaço urbano antigo é pequeno, mas tão bem projetado e organizado, que parecia que estávamos dentro de um cenário de filme medieval.

Hoje, Khiva é uma cidadezinha pacata, segura e tão limpa que não se vê sequer um papel de bala jogado nas ruas. No passado, entretanto, ficou famosa — e temida — por ser um lugar regido pelo terror e por uma justiça que promovia espetáculos de crueldade com quem desrespeitasse as leis do Alcorão. Durante o século XVIII e início do século XIX, alguns viajantes arriscaram a pele para conhecer a tão má afamada cidade, que mantinha milhares de escravos sob condições deploráveis. Muitos deles eram soldados e espiões russos.

O húngaro Arminius Vambery foi um desses aventureiros que visitou Khiva, em 1863, e testemunhou condenações em praças públicas que, conforme deixou anotado em seus diários, preferia não tê-las visto. Em um de seus impressionantes relatos, Vambery descreve a pena a que foram condenados oito homens por desrespeitar a *sharia*:

> "Eles pareciam ovelhas nas mãos de seus algozes. Enquanto um punhado deles era levado para as forcas, eu vi o executor sinalizar para que oito velhos fossem deitados de costas para o chão. Eles tiveram suas mãos e pés amarrados e o carrasco ajoelhou-se sobre o peito do primeiro deles. Com a faca arrancou-lhe os olhos. E, após repetir a operação em cada um daqueles infelizes, ele limpava o aço gotejante de sangue nas próprias barbas brancas dos desafortunados. Assim que cada um dos terríveis atos era encerrado, a vítima era liberada e então começava a vagar ao redor, tentando tatear alguma coisa, manter-se de pé. Alguns trombavam entre si, batendo as cabeças; outros gemiam no chão e desmaiavam sem forças. A memória dessas imagens me causará tremores de medo até o fim de minha vida."

Vambery continua sua terrível narrativa:

> "O atual khanato de Khiva quer ser exemplo de protetor da religião, e acreditam que serão bem-sucedidos executando as mais severas punições contra quem ofendê-la. Homens que não seguem as leis religiosas são enforcados. Quanto às mulheres, são enterradas pela metade, até a altura do peito, próximas às forcas, e então apedrejadas até a morte. Como em Khiva não há pedras, eles usam *keseks*, que são umas bolas duras feitas de terra."

Outro viajante, o capitão russo Nikolai Muraviev, que andou por ali em 1819, notou que "homens pegos fumando ou ingerindo bebidas alcoólicas tinham as bocas rasgadas até as orelhas, deixando-os com uma ridícula cicatriz para o resto de suas vidas".

Em que se diferenciam essas atrocidades, narradas por viajantes de quase 200 anos atrás, das que acontecem no Afeganistão, sem que o "mundo globalizado" e moderno se desse conta até os últimos meses de 2001? Lembrei-me dos olhos assustados de refugiados afegãos em Peshawar, no final de setembro de 1996, relatando-me a tomada de Cabul pelo taleban. Com medo do futuro, me traduziam notícias horripilantes sobre o ex-presidente Mohammad Najibullah sendo arrastado vivo num jipe em alta velocidade pelas ruas de Cabul, para depois ser enforcado e apedrejado em praça pública. Até a virada do século, os Estados Unidos não se interessavam pelo que ocorria em território afegão. Isso, se imaginavam existir no planeta um país chamado Afeganistão. Se sabiam da existência dele, enxergavam-no com os mesmos olhos velados de quem vive atrás de uma burca.

A Khiva atual é tão livre quanto outras cidades grandes que visitamos no Uzbequistão. Professoras jovens, delicadamente maquiadas e vestidas com elegância, promovem passeios pelos prédios históricos e religiosos para dar aula. Mulheres organizam-se em associações, fazem apresentações públicas de danças regionais.

Em Khiva, a exemplo do que ocorre em outras regiões do país, rituais religiosos são festejados nas ruas. Na manhã do dia seguinte, e de calor insuportável, em que Abdulbek gastava novamente algumas horas do seu dia para contar histórias de Khiva, fiquei curioso com um grupo de crianças bem-arrumadas, seguidas por adultos, que pareciam usar suas melhores roupas e sapatos. À frente de todos, ia um garotinho com colete bordado a mão e um turbante branco reluzente, rendado e ornado com pedras.

— O que vem a ser isso? — perguntei para Abdulbek.

— É um preparativo para o ritual da circuncisão — respondeu.

— E o que exatamente eles estão fazendo?

— A família do garoto que será circuncisado, aquele que vai na frente do grupo, primeiro leva-o para visitar alguns lugares sagrados de Khiva, que podem ser mesquitas ou mausoléus.

— E depois?

— Após essa peregrinação, eles vão para a casa dos pais do menino para comer e festejar. Só no dia seguinte ele será circuncisado.

— Será que eles se importam se tirarmos fotos ou gravarmos algumas imagens?

— Tenho certeza que não. Eles vão gostar!

Quando nos aproximamos da família, todos se mobilizaram como se Toni e eu fôssemos os fotógrafos oficiais do evento. Abriram sorrisos e colocaram o menino na frente, em destaque. Perguntavam se estava bom naquela posição, se queríamos todos juntos na foto ou apenas o garoto. Estavam todos vivendo um dia especial e foram receptivos:

— Vocês não querem comemorar esse dia com a gente? — perguntaram.

"Seria adorável", pensei. Mas dentro de algumas horas estaríamos deixando Khiva, ou melhor, o Uzbequistão, para seguir rumo ao vizinho Quirguistão.

Agradeci o convite, tendo o cuidado de escrever no bloco de anotações: "Ulugbek Bekturdiyev, o menino de cinco anos que, em breve, seria circuncisado num setembro de muito calor em Khiva." O islamismo, a última religião a surgir das três grandes fés monoteístas — depois do judaísmo e do cristianismo —, tem princípios parecidos com os das duas outras. O culto aos mortos; a idéia do juízo final; o conceito de um Deus único e misericordioso, e a circuncisão são alguns deles.

Não tínhamos muito tempo disponível para andar por Khiva. Ainda seria preciso fazer uma viagem de 30 quilômetros até Urgench, onde fica o aeroporto. De lá, um vôo nos levaria de volta à capital Tashkent e, no dia seguinte de madrugada, seguiríamos de avião até Bishkek, a capital do Quirguistão. As bagagens estavam completamente desarrumadas e eu pensava num banho para amenizar o calor sufocante, que não dava trégua nem à noite.

Os banhos em Khiva, na verdade, não eram dos mais agradáveis. Só os tomava porque era impossível ficar sem refrescar-me num lugar de calor implacável, à beira do deserto. Nunca tinha visto água pior. Altamente salinizada, além do aspecto barrento, não animava a ficar mais do que dois minutos debaixo do chuveiro. Este é o preço que os cidadãos daquela região estão pagando por um dos maiores desastres ambientais do mundo: a morte lenta do mar de Aral.

Situado no oeste do Uzbequistão, na fronteira com o Cazaquistão, o mar de Aral foi no passado o quarto maior lago interior do mundo. Nos últimos trinta anos, ele se reduziu a menos da metade do que era, e o volume original de água baixou para menos de um terço. Graças a um projeto irresponsável de irrigação para plantações de algodão na União Soviética, que fatalmente cobriu vários rios que alimentavam o mar de Aral. Por sua vez, este alimenta o Syr Darya e o Amu Darya, os dois principais rios uzbeques.

Abdulbek nos contou que o pai dele lembra com profunda tristeza o mar de Aral, o qual visitou várias vezes na década de 1950. Naquela época, seu pai costuma contar, o Aral tinha águas cristalinas, belas praias para nadar e oferecia quantidades generosas de peixes. Em 1987, entretanto, o mar estava secando e dividia-se em dois, com salinidade tão elevada, que quase não existiam mais peixes. Das 173 espécies animais que viviam às suas margens, apenas 38 resistem, e até quando, não se sabe. A flora também vai sendo devastada.

— As pessoas também têm sofrido — informou Abdulbek. — Os moradores ao redor do Aral sofrem de doenças respiratórias e intestinais, e crianças morrem antes de completar um ano de vida — disse ele. — Promessas e projetos para recuperar o Aral não faltam. Mas são apenas promessas. Nada mais — reclama Abdulbek.

Para piorar a situação, Khiva fica situada na parte mais baixa de um grande sistema de irrigação.

— É melhor evitar beber a água daqui — avisou-me um americano, que estava hospedado no hotel e vivia com uma garrafa de coca-cola na mão.

Só tomávamos água mineral ou chá, portanto não haveria problemas. Alguém tinha me avisado de que seria aconselhável descascar qualquer tipo de fruta antes de comê-la, uma vez que o uso de defensivos agrícolas é exagerado na região. No café da manhã, um dia antes de embarcar para o Quirguistão, Toni e eu comemos muitas frutas que estavam na mesa. Havia muito pêssego e uva verde, doces como mel.

A última vez que vi Bakhodir foi através do vidro que separa a sala de embarque dos corredores do aeroporto de Urgench. Ele fazia mímicas sugerindo que trocássemos correspondências. Bakhodir não arredou pé diante da muralha envidraçada até que a última chamada para o vôo de Tashkent fosse feita. A parada na capital uzbeque seria rápida, apenas por uma noite. No dia seguinte, outra jornada começaria. Dessa vez, no território dos nômades do Quirguistão.

> Vista do Registan, em Samarkand, Uzbequistão.

> Madrassa no Registan.

> Uma apresentação de artistas populares na madrassa, em Samarkand.

> Bakhodir, nosso motorista uzbeque, um muçulmano com crenças muito particulares.

> Hamrohon, a peregrina no santuário de BAHA-al-din, perto de Bukhara.

> Colheita de algodão, principal produto de exportação uzbeque.

› Vista geral de Bukhara.

› O imponente minarete Kaloom (abaixo), em Bukhara. Do alto, os muezins faziam os chamados para as orações do dia...

› ... mas a torre logo ganhou outra função. De lá, eram jogados aqueles que desrespeitavam as leis do Islã.

> Crianças na parte antiga de Bukhara.

> Toni em ação, registrando inesquecíveis imagens de Bukhara.

> Nos arredores de Bukhara, exemplo da riqueza da arte uzbeque nos detalhes em ouro do palácio de verão do emir Ali Khan.

> Em todas as cidades, é impressionante a beleza dos mosaicos, marca da tradição artística do Uzbequistão.

> No Centro de Desenvolvimento do Artesão, em Bukhara, Husain Qosimov demonstra suas habilidades para fabricar suportes de madeira para o Alcorão.

> Matluyba Bazarova, diretora do Centro de Desenvolvimento do Artesão.

> Khiva, uma das cidades mais preservadas do Uzbequistão.

> As ruas de Khiva... Uma paisagem inalterada por séculos, que se assemelha a um cenário de cinema.

> Em Khiva, o menino Ulugbek Bekturdiyev, com trajes típicos, prepara-se para a cerimônia de sua circuncisão.

> Músicos populares se apresentam numa rua de Khiva.

> No Uzbequistão, a certeza de que é possível a convivência harmônica em um país muçulmano.

> À sombra de Lenin, um casal namora na praça Ala-too, em Bishkek, no Quirguistão.

> Estradas sempre vazias no interior do Quirguistão.

> Pôr-do-sol no lago Issyk-Kul, que no passado serviu para os militares soviéticos fazerem experiências com armas navais.

Foto: Guará Rodrigues

> Afeganistão, nos anos 1970. No estacionamento do hotel Shaman, em Cabul, turistas ocidentais em busca de aventura montavam suas barracas.

> No pátio do hotel Shaman, uma festa. Afegãos juntavam-se a aventureiros do Ocidente, às vésperas da queda da monarquia.

Foto: Toni Nogueira

> Na década de 1970, a luta de cachorros, em Bamyam, atraía multidões de afegãos.

> Antes da tomada do poder pelos fundamentalistas, as burcas eram opcionais e conviviam pacificamente com costumes ocidentais.

› Pastores e uma *yurta*, habitação tradicional dos nômades, numa planície quirguiz.

› Uma menina quirguiz descansa deitada em um *shyrdak*, ao lado da *yurta* de sua família.

› Parque Nacional de Ak-Suu, na região conhecida como a Suíça do Quirguistão.

> Jenish-Gul, garota que aprendeu com a família a milenar técnica de adestramento de falcões.

> Tilek, irmão de Jenish, com a águia que usa para caçar.

> Tenty, pai de Jenish e Tilek, garantiu a sobrevivência da falcoaria no Quirguistão por mais uma geração, pelo menos, ao ensinar os segredos dessa arte para seus filhos.

> Janyl, a tapeceira.

> No quintal de Janyl, mulheres produzem os mais belos tapetes quirguizes.

> O autor, ao centro, Toni e o guia Vadim (à esquerda), em Tash Rabat.

> Os cavalos ainda são um dos principais meios de transporte e dos bens mais valiosos para os quirguizes.

> Nos arredores de Turpan, exemplo da diversidade étnica e religiosa da China. Em plena região muçulmana, as belas cavernas budistas de Bezeklik encravadas na rocha.

> Sérgio Túlio e Marcelo no deserto de Gobi, China.

> Urumqi, capital da China muçulmana.

> Neves eternas marcam a paisagem dos arredores de Urumqi.

> Vendedor de facas e adagas uigures em Kashgar.

> Um antigo cemitério muçulmano nos arredores de Kashgar, China.

> Em Kashgar, a convivência entre os militares chineses e os uigures, muçulmanos que são a maioria na região de Xinjiang, é das mais difíceis. Hoje há movimentos separatistas organizados contra a repressão de Pequim.

> A mesquita Id-Kha, em Kashgar, a maior da China.

> No início do dia, milhares de pessoas dirigem-se ao mercado de Kashgar.

> Fachada de uma tradicional casa de chá em Kashgar, onde são vendidos espetos de carne de carneiro

> Um artesão mantém viva a tradição do entalhe de panelas de cobre, em Kashgar.

> Vendedores de galinhas no Mercado de Domingo, em Kashgar.

> O músico uigur Ababakre na loja de instrumentos.

> Em Kashgar, uigures muçulmanos vivem sob a presença opressiva de uma grande estátua de Mao.

> O Forte Altit, no Vale do Hunza, no Paquistão. Local onde estaria oculta a lendária cidade de Shangri-lá.

> À sombra das montanhas em Karimabad, Paquistão.

> Em Karimabad, no Vale do Hunza, ainda há espaço para música nas ruas. A influência do fundamentalismo não é muito grande na região.

> Haider Beg, engenheiro que trabalhou na construção da Karakoram Highway, estrada que liga a China ao Paquistão.

> Uma rodovia precária, com precipícios gigantescos, sujeita a desabamentos e em permanente manutenção.

> No Paquistão, fotografar pontes é crime por motivos de segurança nacional. Essa inocente imagem em Gilgit poderia ter causado sérios problemas.

> Costureiro em Gilgit confecciona vestimentas tradicionais.

• Um ônibus típico nas sinuosas
estradas da região de Besham,
no Paquistão.

> Besham: confusão e armas nas ruas cheias e movimentadas.

> Dois irmãos kohistanes, representantes da etnia predominante na região do Indo-Kohistan.

> Um riquixá paquistanês. Meio de transporte barato, popular e arriscado nas ruas de Peshawar.

> Em Peshawar, refugiados afegãos tecem tapetes em troca de comida e teto.

8

Quirguistão e Bons Tempos no Afeganistão

Após acomodar-me no assento estreito junto à janela do Antonov 1962, da Uzbekistan Airways — seria a mesma aeronave que me trouxera de Moscou para Tashkent? —, abri o *The Asian Times*. Um passageiro do vôo anterior deixara ali o jornal com as páginas amassadas fora de ordem, sugerindo que fora lido por inteiro. O vôo entre Tashkent e o aeroporto de Bishkek não levaria mais que três horas — tempo suficiente para ler parte do jornal e ainda tirar uma soneca. As notícias não eram nada animadoras.

A maioria das reportagens resumia-se a dois grandes temas: o caos nas fronteiras, desde a falência política de Moscou e os conflitos no Afeganistão. Esses eram também os assuntos preferidos nas conversas de que eu participara no Uzbequistão. O jornal, entretanto, trazia novidades além das que eu sabia. Uma das reportagens trazia o título "Guerra da água na Ásia Central é iminente."

O texto acusava o Uzbequistão de ter se apoderado de reservatórios naturais de água, desde o colapso da União Soviética, que estariam dentro dos limites do Quirguistão. Não bastasse isso, o vizinho uzbeque estava retirando água em excesso de rios quirguizes, secando-os e provocando desertificação em regiões montanhosas do leste, antes com paisagens pitorescas. "Entre 1917 e 1991, o governo soviético mudou o traçado das fronteiras umas cem vezes. Algumas, para plantar o ódio entre grupos rivais; outras, para resolver problemas econômicos", dizia a reportagem. "Entre tantas curiosidades, que podem ser consideradas catástrofes, há um vilarejo no Uzbequistão cuja população é 100% formada por cidadãos cazaques. Políticos centro-asiáticos não acreditam que problemas de fronteiras sejam resolvidos antes de 2008."

Devido a essas desavenças, os países criam intrigas uns contra os outros, como dizia outra nota no jornal. O Cazaquistão, por exemplo, resolveu dar uma "lição" no Uzbequistão. A Kazakhtelecom, a companhia telefônica do Cazaquistão, deixou os uzbeques sem comunicação por alguns dias porque não teria recebido parte dos 3,8 milhões de dólares que o vizinho deve pelos serviços de telecomunicação. No setor telefônico, quem domina é o Cazaquistão. O Uzbequistão ainda faz uso de redes de comunicação da era soviética ultrapassadas, cujos cabos passam obrigatoriamente pelo território cazaque. Por seu lado, o Uzbequistão resolveu proibir que os quirguizes dirijam em suas estradas federais.

Mas a guerra no Afeganistão era algo que unia as ex-repúblicas. Líderes da região, conforme o *The Asian Times*, vinham se encontrando constantemente para achar alternativas que os defendessem da ameaça fundamentalista. Um pacto para o isolamento do Afeganistão estava assinado, com apoio de outro vizinho, o Irã. Não só o fanatismo religioso do taleban, mas também os rebeldes da Aliança do Norte preocupavam os governantes da Ásia Central.

Os conflitos em todo o território afegão traziam outras conseqüências graves para a região. A produção de drogas no Afeganistão estava aumentando, assim como o tráfico. Só de ópio, em 1999, o país produziu 4,8 mil toneladas, além de outras centenas de toneladas de haxixe. Quase 70% de toda essa droga desembarcada nos mercados europeus era traficada por estradas e aeroportos praticamente sem fiscalização da Ásia Central. Isso ameaçava a segurança nacional da região, aumentava o número de viciados e, obviamente, estimulava o tráfico de armas e o crescimento de assaltos nos centros urbanos.

Mas o noticiário também trazia boas notícias, como uma campanha da Unesco para combater discordâncias religiosas e étnicas na região. O Uzbequistão fora o escolhido como sede para um congresso sobre relações inter-religiosas por ser a terra natal de grandes cientistas e teólogos do mundo islâmico (Al-Khorezmi, o inventor da álgebra, por exemplo, nasceu nas proximidades de Khiva), além de sua história estar conectada com o zoroastrismo e o budismo.

Outra reportagem contava a reforma educacional, que começava a implantar livros de literatura quirguiz, em substituição aos antigos soviéticos. No Quirguistão, 3% da população é analfabeta, percentual igual ao da Espanha, e muito distante do Brasil, onde o analfabetismo está em torno de 15%.

Enquanto eu me atualizava com as novidades, uma aeromoça sorridente trouxe o lanche.

Tentei agradecer em uzbeque, usando algumas expressões que aprendera. Falar alguma coisa na língua dos países que se visita é um dos melhores métodos de aproximação com as pessoas.

— *Rakhmat!* (Obrigado!) — disse em uzbeque.

A aeromoça, entretanto, respondeu de forma inesperada.

— *Spasiba!* — disse ela, em russo, para depois traduzir para o inglês: *Thank you!*

O inglês da aeromoça, percebi depois, não ia muito além de poucas frases e expressões.

O piloto não se deu ao trabalho de transmitir seus recados em idiomas diferentes. Comunicou-se apenas em russo e numa outra língua, que acredito fosse o quirguiz. Percebi que, ao contrário do poliglota Uzbequistão, teríamos problemas para nos comunicar no Quirguistão.

O avião voou baixo sobre casas com quintais pequenos e bem cuidados. Estava com o rosto colado na diminuta janela do avião, distraindo-me em ver do alto as pequenas ruas de terra, quando a paisagem se tornou apenas a pista asfaltada do Aeroporto Internacional Manas, em Bishkek. Eram nove horas da manhã.

O Quirguistão adota a mesma formalidade de seus vizinhos. As autoridades aduaneiras exigem que um extenso formulário seja respondido antes de os passageiros deixarem o aeroporto. Mais uma vez, teríamos de responder as mesmas perguntas, que pareciam intermináveis. Mas em menos de uma hora, após embarcarmos numa *van* para a cidade, estávamos nos acomodando no Silk Road Lodge, um hotel recém-inaugurado, próximo ao arborizado Parque Municipal de Bishkek. Mais uma vez, deixamos nossas bagagens no quarto e saímos para conhecer os arredores.

— Estamos longe do centro da cidade? — perguntou Toni à funcionária do hotel, que estava no *hall* de entrada, brincando distraída com um *video game*. Pelos seus traços, parecia ser mongol. Tinha uns 25 anos.

— Não fica muito longe. Se quiserem, posso chamar um táxi — disse ela num inglês não muito claro, mas esforçando-se para falar o mais correto possível.

— Desculpe — continuou ela —, mas ainda estou estudando. Hoje é mais importante falar inglês do que russo.

— Não precisa pedir desculpas. Sua pronúncia está perfeita! — incentivou Toni.

— Obrigada! Posso chamar o táxi?

— Não é necessário. Que tal andarmos um pouco, Toni? — disse eu.

— Claro, vamos caminhar. Quanto tempo leva até o centro a pé? — perguntou Toni à jovem.

— Uns quarenta minutos.

— Precisamos trocar dinheiro antes. Onde podemos encontrar um banco? — perguntei.

— À esquerda do hotel você verá uma agência do The National Bank of Kyrgystan — respondeu ela.

Quando entramos naquele banco lembrei-me dos bancos da Índia. Parecia abandonado. Um segurança com uma espingarda pendurada no ombro fazia a vigilância e, atrás do guichê protegido por vidro blindado, um funcionário trocava dólares por *som*, a moeda local. Cada dólar valia cerca de 45 *sons* — com 90 *sons* comprava-se uma garrafa de Fanta, que era fabricada no país e orgulho dos quirguizes.

— Prove esse refrigerante, você vai gostar! — sugeriu-me, certo dia, uma mulher na beira da estrada, como se fosse a última novidade no mundo capitalista.

O *som*, que significa "pedaço de metal bruto", foi introduzido da noite para o dia em 1993. A nova moeda mergulhou o Quirguistão numa crise política junto a seus vizinhos, que continuavam operando com o rublo russo. Pouco depois, cada país da Ásia Central viu-se obrigado a acelerar o processo de implantação de sua moeda.

O Quirguistão não tem moedas de metal, a não ser as lançadas em datas comemorativas. Quando peguei meu pacote de dinheiro separado em pequenos montes presos por elásticos — duas cédulas de 50 dólares transformaram-se em mais de trezentas notas de 1, 5, 10 e 20 *soms*! —, fiquei confuso por alguns instantes. Notas do mesmo valor tinham ilustrações diferentes, quando não diferenciavam de tamanho. Tentei perguntar ao funcionário do banco o verdadeiro valor de cada uma, mas ele fez sinal dizendo que não falava inglês. Mais tarde, descobri que, de tempos em tempos, o governo é obrigado a lançar novas cédulas, mudando os desenhos, para se prevenir da enxurrada de dinheiro falso produzido pelas máfias de Moscou. Assim, continuam circulando diferentes versões de notas de mesmo valor.

Saímos do banco e viramos à esquerda numa avenida ampla e arborizada. Assim como a capital uzbeque, Bishkek é uma cidade colonial russa com ruas traçadas em enormes quarteirões, praças de concreto e prédios oficiais sem atrativos arquitetônicos. Mas Bishkek tem uma diferença marcante: é considerada a capital mais verde da Ásia Central. Além das árvores copadas, as casas são bem cuidadas, com jardins e flores.

A avenida por onde andávamos cortava o tumultuado centro da capital, limpo, apesar do número de ambulantes oferecendo de tudo. Cadeados, bichos de pelúcia, canivetes, pentes de plástico, batons, chocolates, roupas e tantos outros artigos de qualidade duvidosa estavam expostos nas calçadas e nas passagens subterrâneas.

O ponto de encontro dos jovens ficava nos arredores da praça Ala-Too, um mar de concreto que outrora se chamara Praça Lenin. O busto do chefe da Revolução Russa continua de pé, provavelmente com seus dias contados, apontando para os picos nevados da cordilheira Tian Shan. Mas não há mais respeito por aquela imagem como no período soviético, quando soldados russos batiam continência para a estátua de cimento. Na Bishkek moderna, os estudantes sentam-se aos pés de Lenin para ouvir música no último volume.

Havia uma atmosfera cosmopolita na região. Garotos metidos em roupas largas faziam manobras arriscadas nos *skates*, jovens casais namoravam de mãos dadas, outros se reuniam em volta de um violão, alguns tomavam cerveja nos bares e cafés próximos à praça. A música eletrônica russa, que inflamara emissoras de rádio, prateleiras de lojas e vendedores ambulantes de CDs, tocava sem parar em aparelhos de som portáteis espalhados por todos os lados.

Uma estudante, com cerca de dezoito anos, aproximou-se de mim. Com a máquina fotográfica na mão, ela percebeu que eu era estrangeiro.

— *Hello!* — cumprimentou ela, em inglês.

— Tudo bem? — perguntei.

Após as apresentações, ela disparou as perguntas clássicas. Quis saber de que país eu era, de que cidade, o que estava achando de Bishkek. Eu também queria conhecê-la. Lina Mordacheva, conforme anotou o nome em meu caderno, junto com o endereço de sua casa, vestia-se e comportava-se como uma jovem moderna de qualquer centro urbano. Muçulmana, usava uma camiseta branca, grande e larga, que caía sobre a calça *legging* de malha estampada e tênis brancos. Os cabelos eram pretos e curtos. Desinibida e falante, convidou-me para sentar no chão da praça Ala-Too, onde conversamos.

— O que faz aqui? — perguntei.

— Sou estudante. No próximo ano quero entrar na universidade.

— Você é de Bishkek?

— Não, eu odeio Bishkek. Sou de Almaty, ex-capital do Cazaquistão*.

— Odeia? Mas então por que está aqui?

— Não há muito o que fazer. Há poucas discotecas, muita droga, não é fácil fazer amigos e a cidade está ficando cada dia mais violenta.

— Talvez Almaty não seja muito diferente...

— É verdade. Mas lá tenho muitos amigos.

— E por que você mora aqui?

— Meu pai tem uma loja de eletrodomésticos num *shopping center*. O Quirguistão está se tornando um bom lugar para ganhar dinheiro, e por isso ele veio para cá. Mas preferia ter ficado no Cazaquistão...

---

*A atual capital é Astana. Almaty ("Terra das Maças") foi capital até dezembro de 1998. (*N. do* A.)

— Aqui é muito violento?

— É bom tomar cuidado. A polícia costuma parar estrangeiros na rua para pedir passaportes, alegando que precisa conferir se o visto é válido. Depois, pede dinheiro para devolver os documentos. Eu mesma já fui vítima desse golpe — disse, bastante excitada.

Não sei por que, mas duvidei do tom pessimista de Lina. Bishkek parecia ser uma cidade tranqüila. Teria de aprender com minha própria experiência, conversando com as pessoas. De qualquer forma, era melhor seguir meus instintos do que ficar ali em estado de alerta permanente. Pareceu-me que o "receio" dela não passava de mais um fruto da rixa entre países vizinhos.

Na primeira caminhada pelo centro comercial, um fato tornou-se curioso para mim, morador de São Paulo, uma metrópole fora do eixo dos países desenvolvidos. Havia pessoas pobres nas ruas, tentando ganhar dinheiro com a venda de bugigangas e lanches rápidos nas calçadas, como em qualquer lugar do mundo. Mas, da mesma forma que testemunhei com grande surpresa no Uzbequistão, não havia uma só criança descalça pelas ruas, pedindo dinheiro ou comida. Há escolas para todas elas, uma herança deixada pelos soviéticos. Também não vi mendigos dormindo nas ruas.

Bishkek foi fundada por soldados russos em meados do século XIX, em campanha militar pela ampliação do império. Plana e grande, tem espaço de sobra para seus 800 mil moradores. Apenas um terço da população é quirguiz. Quase metade é russa, que foi viver na cidade no período soviético, e o restante são uzbeques, cazaques e uigures, estes últimos migrantes da região chinesa de Xinjiang. A comunidade russa, no entanto, está se retirando em massa da capital, voltando para a Rússia em busca de suas raízes, embora já enfraquecidas.

— Meu sonho é juntar algum dinheiro e ir embora para Moscou — disse-me uma jovem vendedora numa loja de CDs.

— Sua família é de lá? — perguntei.

— Sim. Mas aqui, nós, russos, estamos desprezados.

Toni e eu resolvemos entrar num *shopping center* para ver como funcionava um dos símbolos do mundo capitalista numa ex-república soviética. Bishkek tem grandes *shoppings*, mas não chegam a ser megacentros comerciais com salas de cinema, diversões eletrônicas ou lojas oferecendo a última novidade da moda. Ao contrário, há até mesmo alguns corredores desordenados onde não existem lojas, apenas vendedores atrás de bancas expondo seus produtos. Como em qualquer lugar, estão sempre lotados.

Descobrimos mais tarde que os *shoppings* ficam cheios não porque os quirguizes são consumidores ávidos, mas para fugir da temperatura elevada, que às vezes chega aos 40 graus na capital quirguiz. Fizemos o mesmo várias vezes enquanto estávamos na cidade.

Decidimos almoçar no hotel, organizar roteiros e planos de trabalho no Quirguistão. Estávamos estranhamente cansados. Ao chegar ao hotel, a primeira coisa que fiz foi esticar as pernas na cama e pegar o controle remoto da TV. Procurei canais de filmes até que parei no BBC-World. Havia uma entrevista tão longa e cansativa com um diretor de transportes ferroviários da Índia, que acabei dormindo. Acordei ao final da tarde com uma forte dor de cabeça. Quando me levantei vi Toni encolhido na cama e debaixo da coberta. Estava amarelo.

— Tenho febre. Acho que peguei infecção intestinal — disse ele.

Não se passaram trinta minutos, e eu também estava enrolado no cobertor, sentindo calafrios e dor de barriga.

— Ei, Toni, por que está tão amarelo? Andou comendo gemada enquanto eu dormia?

Pelo menos eu não havia perdido o bom humor.

— Enquanto eu comia gemada, acho que você estava bebendo suco de alface porque você está bastante verde! — respondeu ele.

Caímos na gargalhada, apesar das aparências nada saudáveis.

Tínhamos exatamente os mesmos sintomas, e a febre tinha aparecido praticamente ao mesmo tempo.

— Será que comemos algo que não fez bem? — perguntei.

— Chegamos há pouco na cidade e não comemos nada na rua. O único lanche que fizemos até agora foi no avião. Mas foi muito leve.

— E a água? — perguntei.

— Só estamos bebendo água mineral engarrafada. Refrigerantes e chá não trariam problemas.

— Não consigo imaginar o que foi.

A noite já estava chegando, e eu me sentia muito fraco, pois desde cedo não tínhamos comido nada.

— Que tal se descermos e pedirmos uma sopa bem leve, só com legumes? — sugeri.

— Vai você. Eu vou ficar por aqui. Acho que não agüento nem descer.

Estávamos realmente muito debilitados.

O dia seguinte amanheceu quente. E nós continuávamos no mesmo estado, com febre alta e desarranjo intestinal.

Toni pegou o telefone e ligou a fim de pedir informações sobre médicos em Bishkek. A mesma funcionária que nos ensinou o caminho do banco, na manhã anterior, resolveu subir para conversar pessoalmente com os hóspedes brasileiros, um verde, outro amarelo.

Continuei na cama, Toni abriu a porta e perguntou se ela conhecia algum médico homeopata.

— Não, não conheço — respondeu a recepcionista.

— Não estão se sentindo bem? — quis ela saber. Fez a pergunta apenas por fazer, porque era impossível não ver que Toni, de cabelos desgrenhados e olheiras da noite maldormida, não estava nada bem.

— Seu amigo também parece mal — esticou o pescoço sobre os ombros de Toni e me viu prostrado na cama. — Bem, conheço uma senhora russa que faz uma massagem terapêutica sensacional. Ela é capaz de curar qualquer doença, querem tentar?

— Claro que sim! O que acha, Sérgio?

— Será que ela viria o mais rápido possível? — perguntei ansioso.

— Vou ligar imediatamente — disse a jovem, que se chamava Tatyana e era de Karakol, cidade próxima ao lago Issyk-kul, uma região de beleza estonteante.

Já eram quase duas horas da tarde quando bateram à porta. Fazia um dia que estávamos de cama. Toni abriu a porta e nosso quarto foi repentinamente invadido por uma senhora enorme, muito gorda e com braços fortes. Usava óculos de lentes grossas. Tinha cerca de 80 anos, chamava-se Atayeva.

Era uma mulher com bastante energia. A primeira coisa que fez foi tirar as alpargatas chinesas e ficar descalça. Como uma metralhadora, disparou perguntas em russo. Sem nos dar tempo de defesa, pelo menos para explicar que não entendíamos nada daquela língua, continuou falando.

Tatyana ria da situação, mas interrompeu para comunicar a Atayeva que não falávamos russo. Ela pareceu não ter dado muito atenção, pois continuou dizendo alguma coisa para nós, gesticulando e enxugando o suor da testa. Parou e fez a seguinte pergunta, traduzida por nossa intérprete:

— Quem é o primeiro? Deite aqui no carpete, só de cuecas e com a barriga para baixo.

— Toni, você acaba de ser eleito pela assembléia geral para ser o cobaia da expedição Quirguistão — disse eu.

— Está bem, eu aceito a missão! Seja o que Deus quiser...

Durante uma hora ininterrupta, Atayeva massageou Toni, da ponta dos dedos às orelhas. Virou-o de lado, torceu o pescoço, punhos e juntas, pressionou costas e estômago, esticou braços e pernas, sem parar de fazer comentários no seu russo incompreensível.

— Ela está dizendo que você está com infecção intestinal — disse Tatyana.

— É comum nossos hóspedes terem esse tipo de problema. Já estamos acostumados — continuou Tatyana.

— É verdade? Então há sempre gente doente por aqui? — perguntei.

— Infelizmente, sim. A água da Ásia Central sempre tem problema. Vocês beberam água sem ser mineral?

— Não.

— Vocês estão vindo do Uzbequistão, e lá a água não é muito confiável.

— É verdade. Ficamos sabendo que por causa do uso excessivo de defensivos agrícolas nas margens de rios muitas plantações estão contaminadas.

Conversando com Tatyana, lembrei-me da água salinizada de Khiva e da grande quantidade de frutas que consumimos no café da manhã, um dia antes de embarcarmos para Bishkek. Tínhamos lavado as uvas e pêssegos num pequeno jarro com água colocado à mesa do hotel. Talvez essa tenha sido a origem da infecção intestinal que, se não fosse curada rapidamente, poderia encerrar nossa aventura.

Os gritos se alternavam no quarto. Ora o Toni, gemendo de dor, ora a senhora Atayeva, fazendo força para massageá-lo. Terminada a sessão, a russa, pingando de suor, virou-se para mim e apontou o carpete no chão. Sua ordem, mesmo em russo, foi compreendida por mim.

— É a sua vez — ordenou —, deite-se!

— Mas ela não quer descansar um pouco? — perguntei a Tatyana, preocupado com o excesso de esforço da massagista.

— Não. Ela diz que tem força suficiente para massagear mais meia dúzia de magricelas iguais a vocês!

Todos riram, até mesmo Toni, que estava prostrado na cama.

O toque de mão e os pontos do meu corpo que Atayeva pressionava tinham algo de ciência e instinto. Podia-se sentir o efeito curativo de sua massagem.

— Há mais de sessenta anos — contou ela — um chinês viveu nas proximidades de minha casa, aqui em Bishkek. Aprendi com ele técnicas de fazer massagem e de do-in. Depois, desenvolvi métodos pessoais.

Atayeva era a primeira pessoa não muçulmana que encontrávamos naquela viagem. Ela era católica ortodoxa, uma das minorias religiosas do país, assim como é o budismo. No Quirguistão, onde vivem apenas 4,7 milhões de pessoas, 70% da população segue o Islã. Mas, como no Uzbequistão, as mulheres não cobrem os rostos, vestem minissaia e calças compridas, dançam em discotecas e, claro, bebem muita vodca.

Ao final da sessão meu corpo, antes com calafrios, agora formigava. Meu organismo não parava de esquentar, provocando a agradável sensação de que a infecção estava sendo "queimada".

Atayeva cobrou 25 dólares de cada um, pegou o dinheiro e guardou no sutiã. Antes de sair, falou:

— Em cinco dias vocês estarão em forma.

Atayeva errou. Exatamente 24 horas depois da massagem, estávamos com uma incrível disposição para pegar a estrada novamente. Dois dias enfiados dentro de um quarto de hotel era o suficiente.

Ian Claytor, um dos proprietários do hotel em Bishkek, ficou de arranjar um guia para acompanhar-nos pelo país. O que seria imprescindível na comunicação com o povo do interior — um dos grandes interesses da viagem era conhecer os quirguizes, conversar com eles, além de registrar a beleza cênica do lugar.

Claytor é um inglês de 47 anos, que só não se passa por um faquir indiano por causa de seus olhos azuis e da pele pálida. Deixou a Inglaterra em meados de 1990 para arriscar-se no promissor mercado do turismo no Quirguistão.

— Precisava ganhar mais dinheiro do que conseguia como professor nas escolas inglesas — explicou ele.

Um amigo neozelandês, Tony Shea, advogado que fazia consultoria sobre necessidades imediatas no Quirguistão após a queda da União Soviética, aconselhou-o a investir no turismo. Em 1997, Claytor montou uma agência de viagem, a Celestial Mountains — cujo nome foi inspirado na cadeia montanhosa Tian Shan —, junto com dois amigos. Logo depois, veio o hotel.

— E como é ser um investidor estrangeiro por aqui? — perguntei, curioso.

— Não é nada fácil; os quirguizes querem ter sua independência desde que o governo de Moscou caiu. Mas eles sabem que necessitam de dinheiro estrangeiro para crescer.

— Você teve alguma dificuldade para começar seus negócios? — perguntou Toni.

— Há uma burocracia infernal, herança dos soviéticos. O hotel só ficou pronto depois de dois anos e meio. Os primeiros dezoito meses, antes de assentar o primeiro tijolo, foram gastos em formalidades e papeladas. A obra, a parte mais pesada do empreendimento, levou menos de um ano.

Claytor, que se diz cansado da vida sem desafios na Inglaterra — "já está tudo pronto por lá" —, está esperançoso com o futuro no Quirguistão. O país, segundo ele, tem muitos atrativos. Sua história faz parte da época áurea das caravanas e a natureza ainda está praticamente intocada. Há centenas de lagos, trilhas inexploradas e picos acima dos sete mil metros, que ainda não foram escalados.

— Isso é um grande desafio para *trekkers* e alpinistas — aposta ele.

Com uma área duas vezes maior que Portugal, o Quirguistão tem 94% de seu território ocupado pelas montanhas da cordilheira Tian Shan, que se estende por 1.500 quilômetros desde a China. País genuinamente nômade, ainda vivendo na era pré-industrial e com apenas 7% do solo cultivável, o turismo apresenta-se como a melhor porta de entrada para o futuro. Senão a única.

— O quirguiz está começando a descobrir seu potencial turístico — observou Claytor. — É difícil encontrar hotéis ou restaurantes no interior. Mas alguns moradores, dispostos a ganhar dinheiro, adaptaram suas casas para receber hóspedes. Estão aprendendo a lidar com as fronteiras recém-abertas aos viajantes.

No dia seguinte, bem cedo, partiríamos em direção ao leste do país. Nosso roteiro incluía contornar o lago Issyk-Kul pela margem norte, junto às encostas da cadeia montanhosa do Alatau — um dos braços da Tian Shan; depois seguiríamos para Karakol, a cerca de 150 quilômetros da China e o lugar mais distante alcançado pelos colonizadores russos. Em seguida, desceríamos até Tash-Rabat, uma caravançarai do século XV a três mil metros de altitude, que espera ser tombada pela Unesco. Em Tash-Rabat, estaríamos a apenas 32 quilômetros da fronteira da China. Era curioso imaginar que uma estrada empoeirada poderia me levar, em poucas horas, a uma das mais interessantes cidades da região, a milenar Kashgar — a cidade mais pulsante da China muçulmana, onde eu me aventurara quatro anos atrás.

Às cinco horas da manhã ouvi o motor de um carro estacionar em frente ao hotel. Pela janela vi Claytor conversando com um rapaz alto, cabelos raspados. Era o nosso guia Vadim, 34 anos, nascido no Quirguistão, mas filho de mãe e pai russos. Com ele estava o motorista Alexey, cabelos louros, trinta anos, também filho de russos. Alexey mostrou-se reservado, de pouca conversa, do tipo que estava ali para cumprir a obrigação de apenas dirigir o carro.

Vadim e Alexey, apesar de serem quirguizes, falavam russo entre si. Não se interessavam muito pela língua quirguiz e pela cultura local e, notava-se, havia neles algo de desprezo pela vida rural. Mostravam-se mais interessados pelo que Moscou exportava de moderno para o Quirguistão.

Ao contrário do Uzbequistão, onde o nacionalismo pulsava nas conversas e no comportamento de qualquer cidadão, os quirguizes das grandes cidades estavam apegados à cultura russa. Para muitos deles, a vida nômade e o próprio idioma quirguiz eram sinais de atraso. Já nos vilarejos e entre os nômades que viviam em *yurtas* — tendas parecidas com cogumelos gigantes —, o sentimento de estar livre dos soviéticos era latente. No interior, encontraríamos pessoas em busca de suas raízes culturais, massacradas pelo período soviético.

Nosso guia e o motorista estavam trabalhando havia pouco tempo com o turismo. Assim como tantos outros quirguizes, aventuravam-se num novo mercado de trabalho onde não tinham experiência. Vadim havia deixado a vida de professor numa escola secundária e Alexey pretendia ter uma atividade extra além de ser taxista em Bishkek. Não conheciam o interior do país e, assim, acabamos nós, visitantes, programando o que ver e fazer.

Mas a dupla era de extrema ajuda para nos guiar por meio de um velho e preciso mapa russo, indicando distâncias de um lugar para outro, cortando caminhos por atalhos de paisagens inacreditáveis e, principalmente, auxiliando nas conversas com o povo local. A poucos dias de viagem, nosso interesse com a cultura quirguiz acabou contagiando-os. Eles entraram em contato com um lado do país que até então desconheciam, como depois nos confessariam, emocionados, antes de partirmos de volta ao Brasil.

A estrada que sai de Bishkek e segue para o Issyk-Kul corre por planícies tão extensas e abertas como até então eu nunca tinha visto igual. Os prados, onde se viam cavalos pastando ao longe e carroças carregadas de feno dourado, perdiam-se no horizonte. No passado, eram naqueles campos que Gêngis Khan e sua horda de cavaleiros paravam para descansar e alimentar seus animais. Depois seguiam em direção aos reinos do oeste. Muitos desses soldados mongóis ficaram no caminho, juntando-se aos habitantes da região, criando famílias e depois povoados.

Uma sensação de abandono pairava sobre a rodovia. Veículos raramente passavam por nós. O movimento restringia-se a carroças conduzidas por homens com chapéus de feltro e meninos montados em grandes cavalos sem sela. Alexey reduziu bruscamente a velocidade para fazer uma curva perigosa à esquerda, saindo da estrada principal para pegar um atalho de terra.

— Vamos entrar no Cazaquistão — disse ele.

— Precisamos pegar nossos passaportes? — adiantei-me.

— Não se preocupem — respondeu Vadim —, cruzaremos a fronteira apenas para colocar gasolina num posto cazaque, que é mais barata.

— Mas não há controle de migração? — Toni perguntou.

— Não. Aqui é o mesmo que estarmos em casa — disse Vadim.

— As rodovias quirguizes são muito abandonadas, não é? — observou Toni dirigindo-se a mim.

— É o oposto do que vimos no Uzbequistão. Até agora não encontramos uma barreira policial ou posto de fiscalização pelo caminho — completei.

— Talvez por isso o tráfico de drogas esteja tão intenso no Quirguistão.

— A falta de policiamento não deixa de ser uma grande vantagem para os traficantes.

Quando o carro parou no posto de gasolina, resolvemos pisar em terra cazaque. Enquanto abasteciam o carro, caminhamos alguns metros. A paisagem resumia-se a uma planície desértica e sem sinal de vida a quilômetros dali.

Mal recomeçamos a viagem, Alexey sentiu que havia algo de estranho com os freios. As pastilhas estavam gastas e, prevenido, ele mesmo resolveu trocá-las.

— No Quirguistão é necessário ser motorista e mecânico. Se o carro quebrar, dificilmente você encontrará alguém para consertá-lo — informou Alexey.

— Você estudou mecânica ou aprendeu por conta própria? — perguntei.

— Há ótimos cursos de mecânica de veículos em Bishkek. Eu fiz um deles, assim que completei dezoito anos.

Não demorou mais de meia hora para ele consertar o carro e voltarmos à estrada sem curvas e solitária. Alexey tinha orgulho da Kombi verde-musgo, 1994, de tração nas quatro rodas e teto solar.

— Comprei esse carro especialmente para atender os viajantes — disse ele.

— Onde você o comprou? — quis saber.

— Fui até a Alemanha buscá-lo!

— Por que tão longe? — perguntei, curioso.

— Automóveis são muito caros na Ásia Central. Comprei este por dois mil dólares numa feira de carros usados.

— Na Alemanha, os carros com mais de cinco anos são considerados velhos. Mas, na verdade, estão ótimos! Há excelentes oportunidades por lá — completou Vadim.

— Você deve ter levado um bom tempo para chegar aqui — disse eu.

— Levei mais de um mês, sozinho, cruzando Polônia, Rússia, Cazaquistão e Uzbequistão, até chegar em casa. Ainda parei para visitar uns parentes em Moscou.

No final do dia, resolvemos parar em Cholpon-Ata, um balneário às margens do lago Issyk-Kul, onde presidentes e membros de alta patente do Partido Comunista costumavam descansar ou fazer reuniões secretas. Hoje, as casas e hotéis que os hospedavam são o retrato da decadência. Os prédios, sem personalidade e nada hospitaleiros, possuem quartos desconfortáveis, com camas velhas, banho frio, toalhas e lençóis esgarçados. Em contrapartida, os antigos salões de reunião e de jantar são gigantescos, ornados com plantas artificiais e luminárias espalhafatosas.

Procurei por algum detalhe que fosse atraente no hotel. Mas não consegui nada. Uma senhora russa de cabelos ruivos e enormes unhas vermelhas, maquiada com exagero e usando um perfume barato tão forte que fez Toni espirrar várias vezes, nos atendeu na recepção. Parecia uma funcionária pública da era soviética, sem demonstrar cordialidade, cumprindo apenas sua função.

Ela nos passou a chave do quarto, inesquecível número 33, no terceiro andar do prédio. Era um cubículo com dois catres forrados por colchões que pareciam do tempo da revolução de 1917. O banho não era frio, mas gelado. Preferíamos, na verdade, nos hospedar em alguma *yurta* pelo caminho, mas já estava escurecendo e, como nos advertiu o inglês Claytor, não havia muita opção no país.

O jantar não serviu para conhecermos as especialidades da cozinha quirguiz. O cardápio, para decepção dos hóspedes estrangeiros, oferecia apenas o tradicional prato chinês, macarrão com legumes cozidos.

O dia havia transcorrido tranqüilo, e passamos o resto da noite, já que não havia muito o que fazer no balneário, dedicado à leitura. Eu estava terminando o livro *A arte da peregrinação*, de Phil Cousineau, e Toni lia o fascinante *The World's Most Dangerous Places* (Os lugares mais perigosos do mundo), de Robert Pelton, o guia de viagens em que nenhum país quer aparecer em suas páginas.

O colchão de palha repleto de calombos e as paredes mofadas não permitiram que eu tivesse uma boa noite de sono. De madrugada, acordei várias vezes, tentando achar uma posição menos desconfortável. Numa dessas tentativas, quando abri os olhos vi Toni sentado na cama, com os olhos arregalados.

— O que aconteceu? Que cara é essa? — perguntei.

— Tive um pesadelo! Daqueles tão reais, que você custa a acreditar que estava dormindo! — revelou, ainda assustado.

— Mas que tipo de pesadelo era este?

— Sonhei que milicianos do taleban, com metralhadoras levantadas para o alto, invadiam nosso quarto — disse, enquanto apontava para o balcão que dava para o parque lá fora.

— Realmente o clima deste hotel está inspirador...

— Dormi lendo sobre as atrocidades sofridas pelo povo afegão. E isso não me fez bem. Acho que a proximidade ao país, que não está muito longe daqui, também me impressionou.

— Você passou um bom período por lá, não foi?

— Vivi uns quatro meses no Afeganistão.

— Quatro meses? Uma boa temporada. Quando foi mesmo?

— Estive lá em 1972 e depois retornei em 1974, logo depois que o rei foi deposto.

— Era um momento histórico completamente diferente do atual, não é? Como era o Afeganistão e sua gente naquela época?

— Nada comparável com as imagens de destruição que conhecemos da TV. Você não imagina a tristeza que sinto ao ver a miséria que tomou conta daquele país.

— Mas o que você estava fazendo em terras afegãs naquela época?

— Foi uma das melhores fases da minha vida. Faria tudo de novo...

Em 1970, aos 23 anos, pouco antes de Pelé levantar a taça Jules Rimet, Toni saiu do Brasil pelas mesmas razões que motivaram alguns jovens da época a deixar o país. Partiu num auto-exílio, fugindo da repressão imposta pelos militares no governo brasileiro, e para sentir o gostinho da contracultura na Europa, que rejeitava velhos valores da sociedade. Ele atravessou o Atlântico num cruzeiro, tocando bateria num grupo de *rock* português que voltava de São Paulo, e desceu num parque de diversões em Estocolmo. Ali assistiu a um dos últimos *shows* do guitarrista Jimi Hendrix. As viagens não paravam.

Pouco depois, um grupo de brasileiros na Inglaterra resolveu partir numa travessia até o Marrocos em três jipes. O compositor Gilberto Gil, na época morando em Londres, e Toni eram os organizadores da viagem ao exótico país do Oriente. Os planos, entretanto, não seguiram adiante.

Foi quando Toni conheceu o ator Guará Rodrigues e, juntos, elaboraram o roteiro de um *road-movie*, um filme que juntaria ficção e documentário. O tema central era a jornada da Europa à Índia de carro, sem data de retorno. Os atores seriam o próprio Guará e dois amigos também brasileiros que moravam em Amsterdã — Célia Nogueira e Carlos Figueiredo.

— Conheci Célia no primeiro dia daquela viagem e nunca mais nos separamos — contou Toni.

Depois de atravessar a Alemanha, Áustria, Iugoslávia, Bulgária, Turquia e o deserto do Irã — a bordo de uma kombi —, em menos de trinta dias a trupe entrou em território afegão.

— "Chegamos ao Oriente!", gritaram todos no carro! — Toni ia relatando a história com tanta vivacidade que parecia emocionar-se da mesma maneira que há trinta anos.

— Mas para quem vinha cruzando lugares tão exóticos quanto a Turquia e o Irã, o Afeganistão chamava tanta atenção assim?

— Alguns europeus nos avisaram que levaríamos um choque ao chegar àquele país.

— Que tipo de choque foi esse?

— Logo que atravessamos a fronteira iraniana, deixando para trás a paisagem desértica e monótona, começamos a ouvir sons de guizos chacoalhando nos pescoços de cavalos puxando carroças enormes e coloridas. Lembro-me que Célia ficou encantada com as roupas das pessoas, de cores bem vivas e alegres. Nos vilarejos, homens e mulheres circulavam com roupas exóticas, usando sapatos, bolsas, coletes, vestidos e calças bordados a mão. Tinham tapetes maravilhosos em suas casas.

— Quais cidades vocês visitaram?

— Ficamos quase um mês entre Herat, Cabul e Kandahar. Quando voltamos, conhecemos melhor o país, pois ficamos ali mais de três meses.

Dois anos depois da primeira visita ao Afeganistão, após morar na Índia e no Nepal, os quatro retornaram ao país, a bordo de um Mercedes, modelo 1960, comprado em Kathmandu. O rei afegão Mohamed Zahir Shah tinha sido deposto no ano anterior. Os brasileiros vinham pela estrada empoeirada desde Peshawar, no Paquistão, e pararam em Cabul.

— O país estava muito diferente daquele que vocês conheceram durante a primeira visita, quando era uma monarquia?

— Nada tinha mudado. As ruas e os mercados continuavam movimentados. Os hotéis mantinham-se repletos de *hippies* europeus e americanos em viagem pela famosa rota Londres–Kathmandu. O Afeganistão fazia parte do roteiro pela facilidade de drogas que os jovens encontravam — haxixe, ópio e heroína eram vendidos em praça pública.

— Por que vocês voltaram ao Afeganistão?

— O país nunca saiu da nossa mente, ficamos com a impressão de que precisávamos conhecê-lo melhor. E queríamos filmar brigas de cachorros, um evento muito popular na época e que acontecia em Bamiyan, a mesma cidade onde os talebans explodiram os budas gigantes.

— Brigas de cachorros?

— Isso mesmo! Apesar de proibidas pela polícia, todos os domingos, pessoas de vilarejos distantes, em ônibus, carroceria de caminhão ou em lombo de mula iam a Bamiyan para assistir a essas brigas. Os cães eram enormes e ferozes. Parecia um domingo de futebol no Brasil, tamanho o alvoroço e a quantidade de pessoas — lembrou Toni. — O povo afegão era curioso. Ao mesmo tempo que gostava de brutalidades como essa, era extremamente hospitaleiro.

— Onde vocês se hospedaram?

— Durante mais de três meses, ficamos no Hotel Shamam, no centro de Cabul. Era um lugar agradável, numa rua tranqüila e arborizada. Não deve continuar de pé, depois de tantas guerras. Ficava próximo ao maior hotel de todos, o Intercontinental, que agora está semidestruído.

— E como era Cabul?

— Não era um primor em arquitetura... Tinha construções bem simples. Havia carros do ano rodando pelas ruas, como fuscas modelo 1970, barbearias funcionando em praças, mulheres trabalhando no comércio e até floristas.

— E durante o dia, vocês costumavam fazer o quê?

— Costumávamos comer nos restaurantes da Sarak Morfuruchi, uma ruazinha de terra, apelidada pelos estrangeiros como The Chicken Street. Célia tinha paixão especial por uma padaria que, todo final de tarde, fazia deliciosos pastéis de maçã. A fila ficava enorme. Em Cabul, íamos a festas quase todos os dias.

— Organizadas pelos viajantes estrangeiros, imagino.

— Não, o povo local adorava festa. Os afegãos gostavam muito de tocar instrumentos de percussão e de cordas.

— E vocês dançavam?

— Dançávamos até o dia amanhecer.

— Quem participava? Só homens ou havia mulheres também?

— Fui a uma dessas festas, convidado por uma universitária que conheci num bazar. Tinha uma casa maravilhosa, repleta de belos tapetes, com jovens falando inglês, conversando sobre música, teatro e outros assuntos. O dono do Shamam também adorava organizar reuniões dançantes no pátio do hotel. Era jovem e muito animado. Nem imagino o que terá acontecido com ele depois de tantas tragédias, que parecem sem fim.

— E como o afegão daquela época se vestia? As mulheres andavam sem a burca?

— Nas grandes cidades, os homens se vestiam com roupas ocidentais, geralmente com calças e *blazer* por cima de uma camiseta, comprados nos bazares. Os rapazes gostavam de usar costeletas compridas. As mulheres usavam burcas, embora não fosse obrigatório.

— Quer dizer que já andavam cobertas?

— Eram raras as mulheres que tinham os rostos descobertos. A universitária que me convidou para a festa não usava burca. As mulheres mais ricas, como notamos com a convivência no país, cobriam a cabeça com um véu quando saíam às ruas. Algumas estudantes chegaram a usar minissaias nas universidades, porém foram ameaçadas por religiosos extremistas.

— O país, de certa forma, vislumbrava um futuro mais livre.

— É verdade. O rei queria a modernização do país. As universidades tinham salas mistas, com homens e mulheres. A esposa e as filhas do rei apareciam em público sem a burca, para incentivar outras mulheres a fazer o mesmo.

— E Célia? Andava de burca pela cidade?

— No interior, por causa das dificuldades do trabalho no campo, era normal as mulheres não usarem a burca. Portanto, não havia problemas. Em Cabul, muitas estrangeiras circulavam por lá e os homens não estranhavam o fato de uma forasteira estar com o rosto descoberto. Eles a respeitavam. Mas, na dúvida, Célia usava uma arma.

— Uma arma!? — exclamei, com curiosidade.

— Calma que eu explico... — Toni deu risadas tão espontâneas, que deve ter entrado no túnel do tempo e revivido aqueles dias de aventura na Ásia.

— No Irã, um viajante venezuelano presenteou Célia com um enorme cajado de pastor, de quase dois metros de comprimento! Ela o usava para se proteger dos iranianos, que atacavam mulheres estrangeiras nas ruas.

— O que eles faziam?

— Apertavam os seios e passavam a mão na bunda delas, mesmo que elas estivessem acompanhadas de seus maridos ou amigos. Na cabeça deles, qualquer mulher ocidental andando com homem era prostituta...

— Certa vez, encontrei duas alemãs viajando sozinhas no Paquistão, que estavam loucas para deixar o país o mais rápido possível — disse eu.

— Por quê? Foram atacadas?

— Não, foram desprezadas ao extremo. Estavam angustiadas pela forma aviltante que eram ignoradas. Contaram-me que, em algumas regiões, pediam informações em hotéis ou nas ruas e os homens simplesmente não respondiam e as ignoravam. Agiam como se elas não existissem!

— E no Afeganistão? — Continuei. — Célia teve problemas como no Irã?

— Não. De qualquer forma, depois de passarmos por lá, ela só saía com o cajado para alguma emergência. E também sempre andava comigo.

— Quer dizer que você tinha sua porção muçulmano-extremista, fazendo uso da lei "mulher minha está proibida de sair na rua sem eu estar por perto"?! — Caí na gargalhada.

— Como diz um velho ditado, anterior a Maomé, o que é do homem, o bicho não come.

— Principalmente se for barbado...

Demos tantas risadas que ouvimos reclamarem lá de baixo da recepção. Certamente era a russa de cabelos ruivos querendo impor silêncio e respeito.

O tempo passava e a conversa ficava animada. Afinal, era bem melhor ficar acordado do que brigar com os desconfortos do colchão.

— Os afegãos costumavam fazer amizade com quem vinha de outros países? — perguntei.

— Era fácil fazer amigos. Depois de tantas invasões e guerras durante toda sua história, as pessoas estavam tão desgastadas, que, acredito, acabaram desenvolvendo um instinto muito peculiar. Conseguiam distinguir os inimigos e saber em quem podiam confiar.

De fato, desde a Antigüidade a guerra é uma constante no Afeganistão, já ocupado no século VI a.C. pela civilização bactriana, formada por um povo que incorporava elementos das culturas grega, persa e hindu. Depois disso, o território foi sacudido por sucessivos invasores — arianos, persas, Alexandre, o Grande, tribos túrquicas e asiáticas centrais, soldados árabes, Gêngis Khan, Tamerlão, Babur (fundador da dinastia muçulmana Mogul na Índia) e ingleses no século XIX.

Na história recente, o país mergulhou em miséria, depois de ser convertido em campo de batalha onde os Estados Unidos e a antiga União Soviética continuaram sua guerra fria. Primeiro, o Exército Vermelho soviético massacrou-o durante dez anos de lutas, até retirar-se humilhado. Deixando, porém, irreparáveis rastros de destruição.

Logo após, antes que pudesse se recuperar, o Afeganistão viu-se arrasado por conflitos internos entre tribos rivais disputando o poder em Cabul. Os afegãos chegaram à última década do milênio muito bem armados, e seus vales, vilarejos e estradas tinham dez milhões de minas terrestres. Na seqüência cruel desses acontecimentos, foram ainda devastados pelo taleban. Por fim, começaram o terceiro milênio sendo bombardeados pelos Estados Unidos.

Nos últimos vinte anos do século XX, o saldo de tanta desventura ultrapassa 2,5 milhões de afegãos mortos e mais de seis milhões de refugiados espalhados pelo mundo, além de pessoas feridas, ou mortas, todos os dias, em acidentes nos campos minados.

Contudo, o país experimentou alguns lampejos de opulência na sua longa história. Antes da chegada do islamismo no século VII, o budismo florescia como a religião nacional. E, mesmo com a presença árabe, manteve-se em atividade por mais trezentos anos.

Na época de Tamerlão, no final do século XIV, as artes foram incentivadas e mesquitas e madrassas grandiosas foram erguidas. A mesquita de Masjid-i-Jami, em Herat, construída naquela época, é um dos mais requintados trabalhos da arquitetura islâmica no mundo.

O que o Ocidente chama hoje de Afeganistão só passou a existir em 1747, quando o monarca Ahmad Shah Durrani consolidou um Estado centralizado e fundou uma dinastia que durou até 1973, ano em que o rei Mohammed Zahir Shah foi deposto do trono, depois de um golpe arquitetado pelo primo e cunhado Mohammed Daud Khan. A dinastia Durrani estabeleceu o poder da etnia *pashtu* — a maior delas no país — sobre o Afeganistão durante mais de duzentos anos.

Os *pashtus*, ou patanes, formam um grupo de 15 a 17 milhões de pessoas, sendo que 10 milhões vivem no Afeganistão e o restante no vizinho Paquistão. A população afegã, com quase 22 milhões de habitantes, é formada por pessoas das etnias tadjique, hazara, uzbeque, turcomanos e balúchi, além de tribos nômades.

Em sua história, o Afeganistão sempre foi cobiçado por sua estratégica posição geográfica na Ásia Central. No século XIX, o país serviu de palco de disputa entre as duas potências da época, o império britânico e a Rússia. Os ingleses dominavam a Índia e tentavam impedir o avanço russo pela Ásia Central, em direção à sua colônia indiana.

Para assegurar seu poderio asiático, o exército inglês marchou sobre Cabul em 1839. Ali, instalou no poder o xá Soojah, na verdade uma marionete da Coroa britânica.

Chefes islâmicos, no entanto, inconformados em estar nas mãos dos *kafir feringhee*, os infiéis europeus, incitaram o povo a pegar as armas em nome da *jihad*, a guerra santa.

Não demorou muito para que eles revertessem a situação. Cercadas em 1842, sem ter o que comer e apavoradas com a chegada do inverno rigoroso, as tropas britânicas viram-se obrigadas a negociar sua rendição. Segundo o acordo de paz os 4.500 soldados e 12.000 civis ingleses poderiam deixar o país em lombo de mulas em direção ao Paquistão.

Mas o ódio das tribos, armadas ao longo das trilhas por onde passavam os britânicos, deu o veredicto final: todos os estrangeiros foram massacrados. Apenas uma pessoa, o médico Brydon, conseguiu chegar a Jalalabad e salvar-se. Foi poupado, na realidade, para contar a história da apavorante derrota britânica.

Numa segunda investida inglesa, entre 1878 e 1880, as forças britânicas mais uma vez tiveram de bater em retirada, deixando o armamento e mais de 1.300 mortos para trás. O exército inglês experimentou os temíveis ataques suicidas, com muçulmanos se atirando em alvos militares e civis. A tradição guerreira do afegão tornara-se insuperável para os planos de conquista dos europeus.

A miséria dos tempos atuais começou em 1979, quando Moscou tentou implantar ali o regime comunista, apesar da forte oposição islâmica.

Apesar de seu poderio militar, os soldados soviéticos encontraram os inesperados *mujaheddin* — os guerrilheiros islâmicos, movidos pela fé e pela fúria contra os invasores ateus — tocaiados. Em pouco tempo os *mujaheddin* contavam com ajuda financeira e de armas fornecidas pelos Estados Unidos, Irã e Paquistão.

Robert Pelton, em seu livro *Os lugares mais perigosos do mundo*, diz que a CIA despejou 3,3 bilhões de dólares no Afeganistão durante os dez anos do conflito. Os soviéticos perderam quase 14.500 soldados. “Provavelmente o funeral mais caro já pago pelos norte-americanos”, ironizou Pelton.

O dia já clareava, e resolvemos tomar o café da manhã o mais rápido possível para continuarmos nossa viagem pela margem norte do Issyk-Kul. Enquanto a kombi de Alexey avançava pela estrada, que permanecia tão deserta quanto no dia anterior, à nossa direita as águas azul-turquesa do lago tornavam aquele trecho da jornada particularmente belíssimo.

Vez ou outra, a paisagem alternava-se entre desertos, estepes, florestas e montanhas com picos cobertos de neve. Uma natureza exuberante, que ambientalistas querem transformar em reserva ecológica. Durante muitos quilômetros aquele cenário foi nosso companheiro de estrada.

O lago, de acordo com o mapa russo de Vadim, tem 695 metros de profundidade, 170 quilômetros de comprimento e 70 quilômetros de largura. Tanta água, por sinal, chamou a atenção da cúpula militar em Moscou.

— Durante o período soviético, as águas do Issyk-Kul serviram a treinamentos militares — disse Vadim.

— De que forma? — perguntei.

— Devido à sua imensidão, o lugar era perfeito para testes e desenvolvimento de armas navais. Havia muitos institutos de pesquisa militar às suas margens.

— O Quirguistão, na verdade, foi usado como campo de treinamento para o Exército Vermelho — completou Alexey.

— Posso imaginar — disse eu. — Toda essa natureza ainda selvagem, com lagos, planícies e grandes montanhas, deveria ser excelente para a prática de manobras de guerra. Além de tudo isso, o interior do país é praticamente desabitado.

— Foi por isso mesmo que o Quirguistão tornou-se um dos territórios mais fechados da antiga União Soviética. Aqui funcionavam bases de treinamento de soldados. Dessa forma, ninguém podia entrar — concluiu Vadim.

— Vocês não podem imaginar como vivemos isolados durante tanto tempo... — reclamou Alexey.

Curiosamente, o povo quirguiz foi o mais arredio para aceitar as regras enérgicas do Partido Comunista ditando suas vidas. Tradicionalmente nômades, no passado os quirguizes teriam migrado das terras gélidas da Sibéria, misturando-se a tribos túrquicas. No ano 200 a.C. já perambulavam pela região com seus animais domésticos.

Mais tarde, entre os séculos X e XV, chegaram os guerreiros da Mongólia, que fixaram-se em povoados, gerando novas famílias. Mas os quirguizes não deixaram de vagar por aquelas imensas planícies em busca dos pastos de verão para seus animais. Assim, nunca se enquadraram à vida nas fazendas coletivas de Josef Stalin. Como punição, milhares deles foram condenados pelos soviéticos à reclusão, até morrer de fome.

Mais tarde, fiquei sabendo de um velho ditado ainda muito falado entre aquela gente: "Um quirguiz nunca irá parar de perambular pelo mundo até estar completamente coberto pela terra."

O antigo costume de andar de um lugar para outro também foi uma barreira para a religião islâmica ganhar força no país. Os nômades, que dificilmente freqüentariam uma mesquita, consideravam-nas mais um templo político do que religioso. Entre eles pesa ainda uma tradicional lei que dita os costumes, chamada *adat*, mais adequada à vida de pastores andantes do que à *sharia* islâmica.

Nas temporadas do verão, entre junho e agosto, eles costumam viver nas pastagens ao redor do Issyk-Kul. Algumas famílias estendem a temporada até meados de outubro, deixando carneiros, cavalos e iaques aproveitando o restante do pasto pouco antes da chegada do inverno rigoroso. Só então é que desarmam suas *yurtas*, as tendas que transportam para onde quer que forem.

No caminho para a cidade de Karakol, quando o sol estava se pondo e a temperatura caía drasticamente de 30 graus para 5 graus, resolvemos parar nas proximidades de uma *yurta*. Acabamos convidados para tomar chá com seus moradores, uma família formada por quatro crianças com menos de doze anos e a mãe. O pai estava no campo, recolhendo o gado que fora pastar nas planícies durante o dia.

As *yurtas*, na realidade, são moradias organizadas. Seu interior é bem dividido e obedece a várias regras. O lado direito é reservado às mulheres, onde ficam guardados os objetos de cozinha. As crianças e animais domésticos dormem perto da entrada, e a parte dos fundos pertence aos homens, que mantêm ali suas espingardas de caça e equipamentos de montaria, como selas e chicotes. Devido à vida nômade, que não permite plantar, sua dieta consiste em carne e laticínios.

— Vocês querem experimentar o *koumiss*? — Vadim traduziu a sugestão do garoto maior da família.

— Não entendi o que você falou — disse eu.

— *Koumiss* — repetiu Vadim, ensinando que para pronunciar corretamente a palavra era preciso cerrar os dentes e não mover a boca.

— E o que é o *koumiss*? — perguntei, porém sem me descuidar da rápida lição do idioma quirguiz.

— É uma bebida alcoólica feita com leite fermentado de égua. É muito consumida durante o verão, quando os nômades a produzem.

Bebida de sabor forte, há séculos os quirguizes utilizam-na para curar certas doenças. No século XIX, médicos russos descobriram suas propriedades curativas para tratar tuberculose, anemia e problemas de pele.

A noite caiu rápido sobre o lago, e voltamos à estrada para chegarmos em Karakol a tempo do jantar. Aos poucos, de uma forma tão sutil quanto são as paragens quirguizes, estávamos conhecendo um país completamente estranho e distante do mundo. Ao contrário do Uzbequistão, rico em história e dono de uma arquitetura sem igual, o Quirguistão ia revelando-se aos poucos, sem pressa. Instigava e exigia ser descoberto

Em Karakol, uma cidade pacata fundada em 1869 por russos que exploravam o lado leste do lago, experimentamos o que tínhamos ouvido de Claytor, em Bishkek. Hospedamo-nos numa pousada, uma residência antiga reformada por uma família local para receber visitantes. O ambiente era dividido entre hóspedes e moradores da casa, o que proporcionava a agradável sensação de testemunhar a vida no interior de uma residência quirguiz.

O jantar, como notamos em vários hotéis do interior, foi servido com fartura. Sentamos na sala de jantar, em volta de uma mesa grande, onde cabiam dez pessoas. Três hóspedes russos já estavam jantando. Ao lado, uma porta dava para a cozinha, onde a dona da casa, uma senhora gorda, fazia a comida e mandava que duas de suas filhas nos servissem. Havia muita comida na mesa e nos pratos, mas elas insistiam que comêssemos mais.

Como em qualquer ocasião no Quirguistão, os russos e nossos amigos quirguizes bebiam vodca sem parar. Serviram muita carne de carneiro, e para a minha sorte, adepto do vegetarismo, havia batatas e cenouras cozidas, arroz, pão e frutas, principalmente maçãs e uvas verdes.

— Será que estão achando que estamos famintos? — perguntou Toni, reservadamente em português.

— Ou então esse é o jeito deles comerem — falei.

Quando acabamos o jantar e nos acomodamos num sofá em frente à TV, as três mulheres sentaram-se para jantar. Comeram até se fartar, repetiram e entornaram vários copos de vodca. Fomos recepcionados como se fizéssemos parte da família.

Os dias que se seguiram em Karakol foram intensos, ocupados com gravações de vídeo em feiras seculares de animais e longas caminhadas pelas trilhas do Parque Nacional de Ak Suu, uma reserva de impressionante beleza cênica, apelidada de "Suíça Asiática" por aventureiros europeus que exploraram o Quirguistão antes de ter suas portas fechadas ao mundo.

Mas foi por meio de uma pequena estrada empoeirada, quando havíamos nos distanciado do lago Issyk-Kul e seguíamos rumo ao sul do país, que tivemos contato com uma das mais raras e antigas tradições daquelas paragens. Ao entrarmos num povoado chamado Jety-Oghuz, com ruas de terra onde garotos ferravam cavalos em frente de suas casas, resolvemos estacionar o carro e caminhar. Sabíamos, de antemão, que ali, naquele lugar esquecido entre montanhas gigantescas, poderíamos encontrar algum antigo treinador de aves de rapina para caças esportivas. Mas teríamos de contar com a sorte para que isso ocorresse.

Preferi andar sozinho, com o intuito de apenas observar aquele mundo peculiar, isolado de tudo que pudesse remeter ao distante Ocidente. Cruzei com cavaleiros montados em cavalos fortes e altos, usando os tradicionais chapéus de feltro e alongados. Vi homens trocando ferraduras de cavalos, observados por crianças agachadas que prestavam atenção — certamente aprendendo o ofício. Não tinha andado muito quando, ao contornar uma esquina, uma menina de rara beleza chamou-me a atenção.

Ficamos nos olhando por alguns segundos. Certamente ela também estava muito curiosa com aquele estranho, vindo de terras distantes. Com olhinhos apertados, bochechas salientes e coradas — que sugeriam sua descendência mongol —, ela dirigiu-me um sorriso sereno, insistindo em frases incompreensíveis, enquanto apontava uma casa caiada no final da viela.

Resolvi segui-la.

— Venha, venha conhecer meu falcão!

Logo ficaria sabendo o que a menina queria tanto me dizer.

Quando ela empurrou o grande portão de acesso ao quintal da casa, ali já se encontravam Vadim, Alexey e Toni.

— Acabamos de descobrir que aqui vive um treinador de águias — comunicou-me Vadim.

A garota disparou por trás de um gigantesco monte de feno e desapareceu. Em poucos minutos, surgiu dos fundos da casa com um belo falcão, altivo, pousado sobre uma grossa braçadeira de couro. Por meio desse gesto simples, a pequena Jenish-Gul, de onze anos, convidava-me a conhecer histórias de sua terra.

Sentado sobre um banquinho naquele quintal de terra batida, pude aprender o quanto as pessoas daquela região estavam empenhadas em manter suas tradições. O pai de Jenish, Tenty Jamanakov, de 66 anos, vivia ocupado para que a caça com águias e falcões, um esporte ancestral, não desaparecesse. Ele era um dos últimos conhecedores da arte em treinar essas aves.

Como Vadim não tinha habilidade com a língua quirguiz, a conversa desenrolava-se de forma curiosa. Eu falava em inglês com Vadim, que transmitia minha pergunta em russo a um rapaz da vizinhança, que aparecera para nos ajudar. Do russo, era traduzido para o quirguiz, e as opiniões de Tenty faziam o caminho contrário até chegar aos meus ouvidos. Mas a recepção de Tenty era tão calorosa, que não havia a mínima dificuldade em nosso diálogo.

— Durante o período soviético essa atividade ficou proibida — contou ele. — Poucos sabem hoje em dia caçar com águias.

— Mas nessa região devem existir outros caçadores — disse eu.

— Não, muita gente largou essa tradição. Quase todos os dias monto meu cavalo e viajo para vilarejos nas montanhas em busca de algum antigo caçador. Não podemos deixar que a tradição de nossos antepassados desapareça.

O esporte consiste em soltar em campo aberto algum animal pequeno, como coelhos e ratos, ou raposas em disputas profissionais. Vence a ave que caçá-lo mais rápido.

Em sua casa, Tenty incentiva os filhos na atividade. Jenish, apesar de ter apenas onze anos, é exímia treinadora de falcões. Já ganhou medalhas em campeonatos em Bishkek. Seu irmão, Tilék, de 22 anos, quando não está em Karakol, onde estuda ecologia na universidade, passa as tardes treinando águias nas encostas das montanhas do vilarejo.

— Como é que se faz para treiná-los? Acredito ser necessária uma habilidade fora do comum — interessava-me mais pelo assunto.

— Uma das técnicas consiste em cantar para a ave.

— Cantar? — perguntou Vadim, motivado em descobrir novidades dentro de seu próprio país.

— Encapuzamos a ave e passamos horas cantando para ela, bem baixinho, em algum lugar silencioso. É uma forma dela nos reconhecer e respeitar.

— Que tipo de canção é essa? — perguntei, curioso.

— É um segredo passado de pai para filho. — Tenty deu uma gargalhada, adiantando, dessa forma, que não revelaria o segredo.

Não seria uma dádiva concedida apenas a quem, e há milhares de anos, pertence àquelas paragens? Preferi não insistir, apesar da curiosidade.

— Mas posso contar que a ave que aprende a ouvir seu dono torna-se uma caçadora exímia e um animal muito leal.

O que seria uma visita rápida tornou-se uma tarde agradável de muita conversa e demonstrações de caçadas em campos abertos nas proximidades de Jety-Oghuz. Antes de partir, questionei sobre os nomes daquelas pessoas, que tinha considerado muito exóticos. No Quirguistão, os nomes têm significados precisos.

— Tenty — contou-me o caçador — significa "filho de refugiado". Tilék é o mesmo que "um sonho". Mas não um sonho qualquer. É aquele que se tem, e depois é realizado — explicou.

— E Jenish-Gul? — perguntei.

— Jenish-Gul significa Flor da Vitória.

Quando partimos do vilarejo, a família de Tenty desapareceu lentamente entre a poeira fina levantada pela kombi verde de Alexey. Ao fundo, ainda pude ver Jenish-Gul acenando numa longa despedida. Dificilmente a encontrarei de novo. Posso vê-la, porém, numa fotografia em que ela pousa com seu falcão, e que guarda os mesmos olhinhos apertados, o sorriso sereno e o semblante de paz de quem encanta pássaros com canções.

Ao longo do caminho, e por uma outra estrada estreita de terra, descobriríamos mais um valioso segredo quirguiz. Vadim tinha ouvido falar de uma tapeceira que vivia no povoado de Acha-Kaying, não muito distante da fronteira leste com a China. Resolvemos ir até lá. Chegamos à casa simples de Janyl Aliebekov, de 62 anos, respeitosamente conhecida como "mestra" na vizinhança.

Janyl ocupava seus dias ensinando mulheres do vilarejo a tecerem lindos *shyrdaks*, os tapetes tradicionais quirguizes, herança de um passado que se perde no tempo.

— Eu faço tudo nesse meu trabalho. Crio as ovelhas, retiro a lã, limpo, faço a linha, tinjo e depois teço o tapete — contou ela, dando gargalhadas gostosas ao final da frase concluída.

Janyl conversava assim: falava, dava uma pausa para observar minha expressão, e começava a rir. Também só conhecia o quirguiz e não tinha interesse em aprender o russo.

— Quando foi a época de aprender a língua dos russos, não me interessei. Agora é que não quero mesmo! — divertiu-se.

Os tapetes da artista, apesar de viver isolada entre estradas de terra e montanhas que passam dos sete mil metros, ficaram conhecidos de um viajante inglês assim que o Quirguistão foi aberto aos estrangeiros, em 1991.

Maravilhado com o trabalho daquela senhora seminômade — ela vive entre o vilarejo e os pastos durante o verão em sua *yurta* —, ele levou uma peça que acabou chegando às mãos de um funcionário do British Museum, de Londres. No catálogo do museu, Janyl mostrou-me, seus *shyrdaks* ganharam destaque.

Todos nós, Vadim, Alexey, Toni e eu elogiamos o trabalho maravilhoso da artista.

— Não sou eu quem faço esses tapetes, são as mãos de nossos ancestrais — agradeceu ela com simplicidade, fazendo uso do mesmo provérbio que costumava repetir para suas alunas agachadas no quintal.

De volta a Bishkek, antes de deixarmos o país, teríamos outro encontro surpreendente. Chegamos à capital num final de tarde e nos dirigimos ao The Silk Road Lodge, onde encontramos Ian Claytor na recepção.

— Como foi a viagem? Muitas descobertas?

— Foi sensacional — respondeu Toni.

— Hoje à noite, se não estiverem cansados, gostaria de lhes apresentar um *manashi*. Vocês sabem o que é um *manashi*?

— Você pode dizer o que significa? — adiantei-me com curiosidade.

— É um menestrel. Uma arte que sobreviveu ao passar dos séculos e hoje está praticamente extinta. É uma das maiores riquezas culturais do Quirguistão. Tenho um amigo *manashi*, que virá visitar-me à noite, e gostaria de apresentá-lo a vocês.

— Será ótimo! Que horas ele vem? — perguntei.

— Por volta das oito horas.

Pouco antes da oito, subimos ao terraço do hotel, conforme o combinado com Claytor. Quando chegamos lá, um senhor de longos bigodes brancos, sentado num banquinho, conversava animadamente com um grupo de pessoas que, soubemos depois, eram músicos da Orquestra Sinfônica do Quirguistão. O timbre grave de sua voz chamou-me a atenção.

— Este é Urkash Mambetaliev, a pessoa de quem lhes falei — apresentou-nos Claytor.

Manashi é o nome que se dá aos artistas itinerantes que, desde o passado, corriam o país cantando ou recitando histórias de um épico nacional chamado Manas. Além das fronteiras do Quirguistão é difícil encontrar alguém que tenha ouvido falar dessa tradição, mesmo que a Unesco tenha declarado 1995 como o Ano Internacional do Manas.

O épico tem uma coleção de contos vinte vezes mais longos que a *Odisséia*, de Homero, e é maior que o indiano *Mahabharata*. As histórias giram em torno de um herói e líder do povo quirguiz chamado Manas. Suas aventuras pelas estepes e lutas para defender seu povo do ataque de guerreiros hostis é contada em versos pelos manashis. Duas partes do épico são dedicadas ao filho de Manas, Semetei, e ao neto Seitek.

Como em toda tradição, nada está registrado em livros. A arte de recitar o Manas se aprende com os mestres. Os russos tentaram registrar todas as histórias do herói quirguiz em livros na década de 1950, mas não completaram o trabalho. Os manashis costumavam ser convidados para festas de casamentos ou outros eventos festivos.

— Contar toda a história leva dias. Hoje é raro acontecer, mas nas festas de antigamente os manashis costumavam recitar os poemas por sete horas seguidas. Depois, continuavam recitando nos dias seguintes — disse Urkash.

— Não consigo imaginar como você consegue guardar tantas histórias — comentei.

— Eu não guardo as histórias

— Como assim? Não entendi.

— Eu as vejo. É como se eu estivesse assistindo a um filme e as imagens passando na minha frente. Então as vou relatando.

Do mesmo jeito que estava sentado no banquinho de madeira, Urkash fechou os olhos e começou a recitar trechos do Manas. Eu nunca tinha visto nada igual.

A voz do *manashi* e os poemas tinham um ritmo musical, ora subindo o tom, ora descendo. Urkash fazia pequenos gestos com as mãos, mas à medida que a história parecia ganhar algum drama, ele se levantava, movimentava os braços energicamente, e aumentava o volume da voz grave. Depois, abaixava o tom repentinamente até sentar-se novamente no banco.

Durante cerca de vinte minutos ininterruptos ele nos apresentou o Manas. Não entendíamos uma palavra, mas não era necessário tradução. Urkash parecia estar em transe, e eu fiquei imaginando o que ele nos dissera minutos atrás; simplesmente contava o que via no seu filme imaginário.

— Como você aprendeu essa arte? — perguntei, assim que ele fez uma pausa breve e voltou a abrir os olhos com um sorriso largo.

— Quando tinha doze anos, eu tive um mestre manashi. Durante anos vivi próximo de sua casa. Assim, fui aprendendo.

— Vocês são pessoas de sorte — disse Claytor. — Atualmente é muito difícil encontrar um manashi.

Lembrei-me dos ashoks, os prodigiosos artistas centro-asiáticos com capacidade e memória para relatar longas histórias, relatados por Gurdjieff no livro *Encontro com homens notáveis.* E que já estavam desaparecendo no século XIX.

— É verdade. Os Manas estão se popularizando nas músicas modernas, em livros. Mas a tradição está morrendo — informou Urkash. — Estou com sessenta e cinco anos — continuou —, e o grande orgulho de minha vida é hoje poder ser mestre de seis crianças.

Naqueles dias, eu havia aprendido que o conceito de "mestre" no Quirguistão tem uma importância extraordinária. Compreendi isso com Tenty, com Janyl e com Urkash. Os mestres quirguizes, que afortunadamente eu havia encontrado, não passavam seus conhecimentos em salas de aula nem cobravam por eles. Eles reuniam os poucos alunos nos quintais de suas casas, onde externavam, com grande simplicidade, sua sabedoria milenar.

Em setembro de 2001, menos de um ano após minha viagem à Ásia Central, vi na TV as duas torres do World Trade Center desmoronando em Nova York, como num espetáculo via satélite. Pouco depois, soube pelos jornais que os Estados Unidos montavam uma base militar no sul do Uzbequistão, próximo à fronteira com o Afeganistão. Dali, os norte-americanos entrariam pelo norte do Afeganistão. O Uzbequistão, dessa forma, estava entrando na guerra, mesmo que indiretamente. O vizinho Quirguistão apoiava-o oficialmente.

Ao mesmo tempo, eu acompanhava nos noticiários que o presidente Bush saía apressado mundo afora em busca de apoio internacional para bombardear o território afegão, em nome da democracia norte-americana. Ele que, dias antes, havia negado pessoalmente a participação dos Estados Unidos na batalha de mais de uma centena de países para diminuir a emissão de gases poluentes na atmosfera.

— A economia norte-americana não pode parar — alegara o chefe da nação mais poluidora do planeta. Com essa declaração, Bush simplesmente deu as costas ao mundo.

Fui ver as fotos que havia feito um ano antes de a guerra estourar. Lá estavam registradas as pessoas que conheci: o motorista Bakhodir, a peregrina Hamrohon, o menino Ulugbek — à beira do ritual da circuncisão —, a historiadora Makhsuma e a artesã Matluyba. As imagens ainda me recordaram de Vadim, Alexey e sua kombi verde, a menina Jenish-Gul e seu falcão, os mestres quirguizes e tantas pessoas que encontrei pelo caminho. Todos apostavam no futuro da recém-aberta Ásia Central.

Meu receio era de que aqueles países que conheci, livres havia tão pouco tempo, voltassem a ficar mais uma vez isolados.

Anos antes, eu tinha sentido pessoalmente o que era viver num lugar cuja existência não é sabida pelo mundo. Quando resolvi embarcar para uma longa viagem pela China e pelo Paquistão, conflitos étnicos e religiosos não faziam parte de meus planos. Mas não tinha como ignorá-los.

Parte Três

China Muçulmana
e
Karakoram Highway

9

O Jovem Separatista e o Caminho para Kashgar

Quando o trem apitou pela terceira e última vez, avisando que deixaria a Estação Central de Pequim rumo a Xian, senti um súbito solavanco no vagão em que me encontrava. Lentamente, o comboio de ferro começou a rolar pelos trilhos. Da frenética capital chinesa, tomada por guindastes e obras por todos os lados, até a cidade de Xian, o antigo coração econômico e cultural da China, seriam 22 horas. Agradava-me o fato de permanecer um dia inteiro dentro de um trem chinês, que cortaria extensos campos de girassóis e antigas fazendas coletivas do governo Mao Tsé-tung.

Antes da partida, conversava com a jovem Li Wen — eu, com quase metade do corpo para fora da janela do trem, e ela em pé na plataforma da estação. Quando a conheci, três dias antes em Pequim, ela havia se apresentado a mim como Catherine.

— Catherine? Mas esse é um nome americano — surpreendi-me.

— É assim que meu professor de inglês me chama — respondeu ela com naturalidade.

Depois, aprendi ser essa uma das muitas manias de jovens chineses, que adotam nomes americanos como se esse fosse o passaporte necessário para entrar no mundo globalizado. Durante minha passagem pela China, conheci Johns, Pauls, Carols, Mikes e até um Elvis.

A universitária Li Wen tinha pouco mais de 22 anos e, gentilmente, passara os dois últimos dias apresentando-me algumas atrações de Pequim. Eu a havia conhecido por intermédio de um amigo chinês que vive em São Paulo.

— Tenho duas tardes livres na universidade e posso mostrar a você um pouco da cidade — disse-me pelo telefone, assim que liguei para ela do hotel.

— Seria maravilhoso! Obrigado! — agradeci-lhe a gentileza.

Li era filha única, fruto da rígida política chinesa de controle de natalidade, que permitia aos casais de centros urbanos ter apenas um filho. Morava com os pais na periferia de Pequim. Defensora contumaz de tudo que fosse chinês, tinha orgulho em falar sobre dinastias e fatos pitorescos dos cerca de cinco mil anos ininterruptos da história da China.

Porém nossa última conversa causou-me estranhamento.

— Você está indo para o noroeste da China, não é? — perguntou.

— Isso mesmo. É o destino final em território chinês. E a região de Xinjiang é um dos lugares mais esperados dessa viagem.

— Eu gostaria de fazer uma pergunta, porque estou muito curiosa.

— Pode perguntar.

— O que vocês querem fazer em Xinjiang? Lá só moram bárbaros!

— O que você quer dizer com bárbaros?

— Eles são um povo atrasado e imundo. Vivem na China, mas não são chineses.

— E o que são chineses para você?

— O povo han.

Uma funcionária da companhia estatal ferroviária, vestida num uniforme militar, fez sinal para que as pessoas se afastassem na plataforma. Enquanto o trem iniciava a jornada para Xian, fiquei pensando naquelas palavras preconceituosas manifestadas por uma jovem chinesa universitária. "Gente imunda. Vivem na China mas não são chineses." O que me aguardava em Xinjiang, a terra dominada pela minoria uigur?

Na China, quase 90% dos habitantes são da etnia han — como os estudiosos chamam esse grupo dominante, cuja dinastia governou entre os anos 206 a.C. até 220 de nossa era. O restante da população é composto por 55 minorias étnicas, incluindo mongóis e tibetanos. Os números ganham outras dimensões quando se fala em "minorias" na China — além de muitas outras coisas naquele território de tamanho continental.

No país mais populoso do planeta, com seu batalhão de quase 1,3 bilhão de pessoas, 10% representam mais que todos os habitantes da França e do Reino Unido juntos. O governo em Pequim fica incomodado porque os grupos étnicos minoritários ocupam uma boa porção de terras. Estão distribuídos por 50% do território chinês, principalmente próximo às fronteiras mais conflituosas.

Era início de agosto de 1996. O objetivo da viagem, que eu vinha preparando havia alguns meses — enquanto dividia meu tempo em redações de TV e de revistas —, era percorrer por terra, não importando o meio de transporte, a esquecida Rota da Seda. Essa via foi a primeira estrada a unir o Oriente ao Ocidente, há mais de dois mil anos. E tornou-se famosa por meio dos relatos fantásticos de Marco Polo.

Eu seguiria na mesma direção leste-oeste, ou seja, no mesmo rumo de antigos comerciantes chineses, que atravessaram reinos até então inimagináveis. Para mim, implicaria percorrer regiões inexploradas do mundo muçulmano.

De acordo com o roteiro, eu cruzaria toda a imensidão chinesa, as montanhas do Paquistão e chegaria ao Passo Khyber, na fronteira com o Afeganistão. Antes de retornar ao Brasil, iria rapidamente à amável Kathmandu, visitar minha amiga Alakha Shakti, médica nepalesa que morava aos pés do Himalaia.

A longa jornada levaria pelo menos três meses. Viajaria sozinho. Sempre me agradou essa idéia.

Nessas ocasiões, o viajante necessariamente precisa desarmar o espírito e o coração para se aproximar dos habitantes locais. Esses são, em geral, os momentos mais enriquecedores das viagens.

Poucos dias antes de deixar o Brasil, no entanto, surgiu a oportunidade de levar adiante a idéia de documentar a aventura em vídeo. Liguei para o Marcelo Guedes, antigo amigo e experiente cinegrafista, que na época estava morando em Santos.

Convidei-o para vir a São Paulo para jantarmos. Na mesa de um restaurante na alameda Santos, em São Paulo, fui direto ao assunto:

— Vamos para a China? — falei repentinamente.

— Desculpe. Não entendi...?

— É isso mesmo: vamos para a China?

— O quêêê?

— Estou com tudo organizado para a viagem. Mas se você aceitar, tem de ser rápido. Devemos partir em duas semanas.

Pude observar seu olhar de espanto, ao mesmo tempo brilhando pela possibilidade de voar para longe, muito longe, do Brasil. Lembramos, com longas risadas, esse diálogo enquanto o trem disparava em velocidade pelos trilhos da China.

Marcelo tinha o compromisso de registrar a viagem em vídeo. Por meu lado, documentava a aventura em fotos e gravava boletins diários para a Rádio Eldorado-FM, de São Paulo. Também cuidava de tomar notas de praticamente tudo para futuras reportagens. Três delas acabaram indo ao ar no programa Fantástico, da Rede Globo.

Mesmo com tantas atividades, não queríamos perder de vista o grande prazer que era o simples fato de estarmos na estrada, livres para organizar e alterar roteiros de acordo com nossos interesses.

— Essa viagem está sendo um sonho — comentou Marcelo.

Estava longe, porém, de ser um passeio de férias. Os trajetos por terra eram distantes, e sempre sob a areia, o pó e o calor dos desertos de Gobi e do Taklimakan; as pousadas quase sempre eram desconfortáveis e a comida servia apenas para matar a fome.

Descemos primeiro em Xian. Depois, exploramos diversas cidades e povoados chineses até chegarmos ao oásis de Turpan, na região autônoma de Xinjiang. Turpan é a porta de entrada da excêntrica China muçulmana.

No início de uma tarde modorrenta, assim que o ônibus empoeirado estacionou na rodoviária de Turpan e eu desci, recebi uma lufada de ar quente no rosto. Percebi então por que a cidade ganhou dos chineses o apelido, nada exagerado, de "a grande fornalha". Um de seus antigos nomes, por sinal, era Huozhou, ou Terra do Fogo.

Turpan é o lugar mais quente de toda a China. No alto verão, entre junho e agosto, a temperatura já atingiu mais de 49 graus centígrados. Localizada numa depressão de cerca de 80 metros, no meio do deserto, o clima é extremamente seco. Nos arredores fica o lago da Lua, 154 metros abaixo do nível do mar. É o segundo ponto continental mais baixo do mundo, atrás apenas do mar Morto, entre Israel e Jordânia. No inverno, o frio também atinge os extremos, chegando a 15 graus abaixo de zero.

Naquela tarde de agosto, o calor fazia qualquer ser humano desistir de toda atividade: a temperatura beirava os 43 graus. A água mineral que vínhamos bebendo no ônibus estava quente o suficiente para fazer chá.

Quando descemos do ônibus, suados e empoeirados, a sensação era de que não estávamos mais na China. Poderia ser uma nação árabe ou uma cidade da Ásia Central. Havia carroças, burros, mesquitas e um som que eu ainda não tinha ouvido na China, o *azan* — o cântico islâmico ecoando de alto-falantes, invocando os fiéis para mais uma oração do dia.

Por ali circulavam pessoas com feições de turco, peles morenas, homens usando o *dopi*.

— Estamos na China, ou chegamos no Oriente Médio? — perguntei a Marcelo.

Na minha frente atravessaram duas mulheres apressadas, com os rostos cobertos por véus de cores escuras. Do outro lado da rua, lojinhas de roupas e barbearias ostentavam placas escritas em árabe.

Um jovem aproximou-se disposto a ajudar os estrangeiros a encontrarem um hotel.

— *Nirrau ma?* (Olá, como vai?) — falamos Marcelo e eu, usando o cumprimento básico em chinês, que tínhamos aprendido.

A resposta foi inesperada.

— *Salaam aleikum!* — disse ele.

"*Salaam aleikum!*", pensei. "Nem mesmo o mandarim se fala por aqui!"

Eram apenas os primeiros sinais do que descobriríamos ali tão longe dos roteiros convencionais do turismo na China. E também distante dos refletores da mídia, ocupada em veicular somente as imagens convencionais do país de crescimento econômico sem limites, dos palácios imperiais, da Grande Muralha e das centenas de milhares de bicicletas apertando-se nas ruas de Xangai e Pequim.

O rapaz de pele morena e cabelos pretos oleosos penteados para trás, que pela aparência física poderia ser um jovem de Istambul, falava inglês razoavelmente bem.

— Vocês querem indicação de um lugar para se hospedar?

— Não, obrigado — respondi. — Tenho o nome de um hotel. Você sabe onde fica o Turpan Guesthouse?

— Conheço. Mas não dá para ir andando. Posso chamar um táxi?

Gostei da forma simpática como ele nos abordou, diferente do tratamento ansioso de milhares de pessoas que ficam em rodoviárias e aeroportos das inúmeras cidades da Ásia, África e Américas, "lutando" para carregar malas ou levar turistas para hotéis em troca de gorjetas.

— Muito bem. Vamos lá!

O jovem fez sinal para um senhor sentado preguiçosamente à sombra de uma árvore. Ele subiu no selim de um velho riquixá e parou ao nosso lado. Subimos com as bagagens e seguimos pelas ruas de Turpan bem devagar.

Na porta do hotel, o rapaz despediu-se rapidamente:

— Tenho um compromisso agora. Preciso ir embora.

Paguei a corrida e fiz menção de dar uma gorjeta para ele.

— Não, não preciso de dinheiro. É um prazer ajudar quem chega para conhecer nossa cidade. Vocês são de onde? Itália?

— Não. Do Brasil.

— *Ah, Braziliá! Braziliá!* — repetiu, com entusiasmo, sabendo de onde éramos. A partir daquele momento, descobrimos como falar o nome de nosso país na região.

Eu sabia que estava diante de uma dessas pessoas especiais, que simplesmente cruzam pelo seu caminho quando se está na estrada. Minha intuição não falharia.

— Se vocês quiserem, podemos nos encontrar no início da noite e conhecer um pouco da cidade — sugeriu.

— Tudo bem — concordamos Marcelo e eu.

— Passe aqui no hotel por volta das seis ou sete horas. Está bem? — perguntei.

— Está. Mas eu não posso entrar no hotel. Espero vocês do outro lado da rua.

— Como não pode entrar?

— A entrada só é permitida para estrangeiros ou chineses — disse e despediu-se. — Estarei do outro lado da rua, antes das sete horas. — Ele saiu apressado, pela calçada.

Não sabíamos nem ao menos seu nome.

A única coisa que eu queria naquele instante era tomar um banho frio para refrescar. Ao abrir a torneira no boxe do banheiro, depois de alojado num quarto decorado com flores de plástico, um jorro de água quente expeliu do chuveiro. O melhor era acostumar-me à vida na "grande fornalha".

Depois do banho quente e de um almoço trivial no hotel — talharim com massa de tomate, acompanhado de *nan* —, a recepcionista aconselhou-nos a não sair.

— Se pretendem conhecer a cidade, acho melhor ir mais tarde, quando estiver menos quente.

Olhei para fora e não vi ninguém na rua. A cidade parecia abandonada nas primeiras horas da tarde.

— Parece que estamos dentro de um forno. Ano passado a temperatura chegou a 45 graus! — disse ela, limpando o suor da testa com as costas da mão.

O calor intenso e as ruas vazias nos desanimaram a sair. Passamos a tarde no hotel, aproveitando a sombra agradável das videiras, limpando os equipamentos empoeirados, separando roupas sujas para lavar, atualizando anotações de viagem e fazendo leituras sobre a cidade nos guias de viagem.

A Rota da Seda estabeleceu Turpan como um oásis popular e centro de comércio durante vários séculos. Era ponto de parada obrigatório para quem vinha se aventurando pelo oeste ou leste, pois de ambos os lados era preciso vencer as imensidões áridas dos desertos de Gobi ou de Taklimakan. Turpan, como permanece ainda hoje, era diferente de tudo ao redor: tinha água em abundância e grande variedade de frutas secas, além de ser o principal fornecedor de uva na China.

A partir do século XVI entrou em decadência, acompanhando a queda da via comercial por terra quando rotas marítimas começaram a ser descobertas e exploradas. Mais tarde, foi invadida por saqueadores, que se diziam arqueólogos, historiadores e cientistas dos mais diversos ramos.

Na realidade, estavam interessados nas cavernas de Bezeklik, cerca de sessenta quilômetros de Turpan. Durante mais de mil anos consecutivos, depois do século IV, dezenas de cavernas foram ocupadas por monges budistas que as utilizavam como se fossem um gigantesco ateliê. Em 67 delas, as rochas transformaram-se em murais para receber afrescos, esculturas e pinturas contando a trajetória histórica de Buda. Grande parte do tesouro foi carregada para importantes museus e galerias do mundo, principalmente em Berlim e Tóquio.

Quando o sol já não mais lançava luzes sobre a cidade, resolvemos sentar na porta do hotel e aguardar pelo encontro das sete da noite. O rapaz já estava sentado numa mureta do outro lado da rua e nos fez sinal com o braço. Fomos ao seu encontro.

— *Salaam aleikum* — disse ele, batendo com a mão espalmada no lado esquerdo do peito.

— *Aleikum salaam* — respondi, tendo o cuidado de repetir o mesmo gesto.

— Meu nome é Mohammad Abdul — apresentou-se com orgulho.

Quando falou seu nome, carregando no sotaque árabe, pude imaginar o quanto seria reveladora a viagem por aquele trecho da China muçulmana. Os nomes chineses de uma só sílaba tinham ficado para trás.

Assim que avançamos pelos primeiros quarteirões de Turpan, reparei que não se viam chineses por ali. Soube mais tarde que a população do oásis chegava a 170 mil pessoas, das quais 120 mil eram da etnia uigur. O restante tinha sido formado por minorias originárias da Ásia Central e, por fim, pelos chineses.

Como passávamos em frente a um pequeno restaurante, convidei Abdul para jantar, pois estávamos com fome. Não interessava muito o cardápio, mas o lugar tornava-se atraente apenas pelo fato de oferecer mesas ao ar livre e encontrar-se numa praça bastante arborizada. Devido ao calor, não queríamos ficar em locais fechados sem ventilação.

O restaurante pertencia a uma jovem chinesa, muito sorridente e acostumada a receber turistas, conforme constatei pelo cardápio. Raridade na China, os nomes das comidas e bebidas tinham a tradução em inglês escrita ao lado. Pedi uma garrafa grande de água mineral gelada e Marcelo escolheu uma cerveja local. Um garoto chinês de uns dez anos veio correndo com as bebidas e três copos.

Marcelo despejou a cerveja nos copos e passou um deles a Abdul.

— Muito obrigado, mas não vou beber — ele agradeceu.

— Não gosta de cerveja? — perguntei.

— Claro que sim. Mas não quero.

— Então beba um copo de água para refrescar — sugeri, e ele também não aceitou.

— Estou morrendo de fome, vou escolher alguma coisa. O que você quer comer? — perguntei, passando o cardápio para Abdul.

— Fiquem à vontade. Vocês podem comer e beber, depois vou mostrar-lhes alguns pontos turísticos.

— Mas nós nos sentiremos mal se você não nos acompanhar...

A princípio, imaginei que Abdul estivesse tímido diante de dois desconhecidos. Mas eu estava completamente enganado.

— Nós uigures muçulmanos não compartilhamos comida em mesa de chinês. Para dizer a verdade, eu não gostaria de estar sentado nesse restaurante.

A declaração repentina de Abdul, carregada de rancor, pegou-nos de surpresa.

"O que você vai fazer numa região de gente imunda? ", lembrei-me da última conversa com a chinesa Li Wen na estação de Pequim. Estava começando a aprender que a relação entre chineses e minorias étnicas marcava-se por grande animosidade. Começava a interessar-me em saber mais sobre esse conflito racial.

— Se você quiser podemos ir para outro lugar — ponderei.

— Eu prefiro — respondeu ele, com objetividade.

— Você sugere algum lugar?

— Conheço um restaurante uigur que só é freqüentado pela nossa gente. Nem turistas vão lá. Sempre tem pessoas dançando e tocando música uigur.

— Seria sensacional! — adiantou-se Marcelo.

— Como se trata de um lugar tão reservado aos uigures, não haverá problemas se dois estrangeiros forem lá? — perguntei.

— De maneira nenhuma, vocês estão com Mohammad Abdul — soltou um sorriso confiante.

— Mas primeiro quero passar no hotel e pegar a filmadora. Essa noite promete ser quente, sem querer fazer trocadilho... — adiantou-se Marcelo.

Cruzamos ruas mal iluminadas e calçadas tomadas por videiras com cachos de uvas maduras. A fachada do lugar parecia uma casa. Havia um corredor comprido que levava até os fundos. Antes de chegar ao seu interior, já ouvíamos palmas e um tipo de música completamente novo aos meus ouvidos.

O local não estava cheio, mas a animação era grande. Algumas mesas eram ocupadas por grupos de jovens entre quinze e vinte anos, tomando cerveja ou chá em vasilhas de louça, em outras sentavam-se casais mais velhos. Os homens vestiam-se de calça comprida e *blazers* de cor escura. As poucas mulheres presentes usavam lenços coloridos na cabeça e vestidos de seda ou veludo — da mesma forma que poderiam ser vistas durante o dia.

Como havia mesas vagas, foi fácil sentar próximo ao grupo de dez pessoas tocando instrumentos exóticos de corda e de percussão. Rapazes e moças, usando roupas coloridas e brilhantes, dançavam animados.

— Os uigures adoram a música e a dança — informou Abdul, falando alto para se fazer ouvir. — Esses músicos são os melhores de Turpan.

O calor estava avassalador. O teto era baixo, os móveis escuros e o ventilador no teto não refrescava em nada. Mas a apresentação dos músicos e dos dançarinos valia o sacrifício.

Infelizmente havíamos chegado tarde e não ouvimos mais que três músicas. Mas conseguimos fazer ótimas imagens, e o ambiente era uma introdução ao mundo uigur. Mesmo com o calor que fazia, resolvemos ficar para jantar.

Marcelo quis experimentar o *laghman* — prato típico com carne de carneiro em pedaços, frita junto com berinjela, vagem, tomate e pimenta-verde, servidos por cima do macarrão. Preferi pedir frango com legumes. A comida era suficiente para nós três.

Abdul examinou com curiosidade minha câmera fotográfica, olhou pelo visor, perguntou-me como funcionava o zoom. Depois, fez o mesmo com a filmadora.

— Muito interessante esses equipamentos. O que vocês fazem no seu país?

— Somos jornalistas — respondeu Marcelo.

— E você, o que faz? — perguntei.

— Ajudo meu pai a vender frutas e legumes que nossa família planta. Mas vocês têm algum interesse específico aqui em Xinjiang?

— Estamos simplesmente viajando, conhecendo lugares e pessoas — disse eu.

Retomei a conversa interrompida no restaurante chinês.

— Tenho notado que uigures e chineses não se dão muito bem.

Abdul aproximou sua cadeira da minha. Interessava-se muito pelo assunto. Abaixou a voz para conversar, dando a entender que aquele era um assunto reservado.

— Na verdade, nossa relação é péssima. E prefiro que continue assim.

— Você nasceu em Turpan?

— Eu e meus cinco irmãos.

— Cinco!? — espantei-me. — Pelo que sei, as leis de controle de natalidade permitem apenas um filho para casais de cidades grandes e, no máximo, dois para os que vivem no interior e no campo.

— Quem desrespeita as regras paga uma multa altíssima, o que leva muita gente à miséria. O pai da família, geralmente, é demitido do emprego, a mulher perde o direito de ir ao médico, e os filhos excedentes não podem freqüentar a escola nem o hospital público. Os chineses são uns miseráveis.

— E o que acontece na sua casa, já que seus pais tiveram seis filhos?

— O povo uigur nunca se adaptou às normas chinesas. Nossas famílias são grandes, como a minha.

— Você é casado? Tem filhos?

— Sou solteiro, mas quero ter muitos filhos, igual a meu pai.

— Uma vez que vocês uigures vivem na China, acredito que também obedeçam às leis chinesas.

— Na verdade, estamos cada vez mais revoltados com elas. Os uigures sempre pagaram com a vida por não aceitarem regras chinesas. Tentamos levar a vida de nosso jeito.

— Já percebi. A China mantém suas perseguições religiosas e vocês continuam indo às mesquitas, como vi hoje quando chegamos.

A região autônoma de Xinjiang, como é definida nos mapas chineses, é a maior província do país — um imenso território equivalente a três vezes o tamanho da França. Geograficamente fica separado do restante da China pelas areias do deserto de Gobi.

Há séculos que Xinjiang é uma terra multirracional. Sua população chega a dezesseis milhões de pessoas. Esse contingente é formado por treze etnias, além dos chineses han — que ali são minoria. Os uigures são o grupo mais numeroso — cerca de 7,2 milhões de pessoas. Fora da China, estima-se que há meio milhão deles vivendo nas ex-repúblicas soviéticas, fugidos de perseguições chinesas nos finais do século XIX; além de outros 75 mil morando entre o Paquistão, o Afeganistão, a Turquia e alguns países ocidentais.

Com os uigures de Xinjiang, convivem uzbeques, tadjiques, cazaques, quirguizes, turcomenos — todos de origem turca, um povo com afinidade em etnias, idioma e religião. Isso a torna mais próxima dos povos da antiga União Soviética do que dos *han* chineses.

De acordo com a história, os uigures têm suas raízes em antigas tribos túrquicas, que viviam ao sul do lago Baical, na Rússia. Esse povo foi o primeiro a estabelecer-se em Xinjiang durante os tempos áureos das caravanas, por volta do século V.

Os uigures chegaram a formar um importante império na Ásia Central. Controlaram importantes postos comerciais na rota comercial, forneciam cavalos aos chineses e, assim, estabeleceram reinos independentes.

Inicialmente xamânicos, crentes em feiticeiros com poderes sobrenaturais, eles tornaram-se seguidores do maniqueísmo — a religião originária da Pérsia cuja doutrina consistia na existência do conflito entre os reinos da luz e da sombra, ou seja, do bem e do mal. Depois, deram origem a uma das mais marcantes e criativas escolas budistas da Ásia Central.

A partir do século X, os dogmas do Islã gradativamente substituíram a crença budista — até então a religião predominante em Xinjiang. Como a doutrina islâmica proíbe a representação humana e de todo ser vivo, esculturas e pinturas maravilhosas com imagens de divindades do budismo foram destruídas e enterradas para sempre nas areias do deserto.

Sob a influência muçulmana, os talentos artísticos foram obrigados a mudar de direção. O resultado foram os trabalhos de artesanato e de arquitetura que ganharam fama no mundo da época. Tapetes e sedas passaram a ter novas cores e estampas criativas.

Só em meados do século XVIII, Xinjiang foi anexada pela China. Desde então, sua história tem a marca das turbulências. Há revoltas, sangue e breves períodos em que os uigures conseguiram estabelecer governos independentes.

Para aumentar a preocupação do governo em Pequim, a província do noroeste é ainda a fronteira mas frágil de todo o país. Xinjiang é vizinha do Tibet, Mongólia, Paquistão, Afeganistão, Índia e parte da esfacelada União Soviética — Cazaquistão, Quirguistão e Tadjiquistão.

Excetuando-se os tibetanos, os mongóis e os hindus, as outras nacionalidades crêem em um só Deus, Alá. Isso é um forte laço religioso, especialmente para os uigures, que vivem num país onde a liberdade religiosa continua perseguida pelo regime comunista.

— Vocês vão a Kashgar? — perguntou Abdul.

— Faz parte dos nossos planos. De lá pegaremos um ônibus para o Paquistão.

— Que ótimo! Em Kashgar vocês conhecerão uma nação uigur.

— O que significa isso?

— Lá, como em toda Xinjiang, os cargos públicos, os melhores empregos e a polícia estão nas mãos dos chineses. Mas eles não se envolvem com os uigures, sabem quem manda na região.

"Nos últimos cem anos" — continuou —, "só a mesquita de Id Kah, em Kashgar, a maior da China, foi derrubada várias vezes pelos comunistas ateus. Mas nosso povo a reconstruiu o quanto foi necessário."

— Esse confronto deve ter derramado muito sangue.

— Mas nunca desistimos de nos libertar da China.

Abdul tinha 25 anos e aparência de no mínimo dez anos mais velho. Inconformado com a opressão dos chineses sobre seu povo, o rapaz era bem-informado sobre a situação política de Xinjiang. Apesar de ele nunca ter admitido, percebi nas conversas posteriores — sempre em casas de chá uigures freqüentadas apenas por homens — que ele fazia parte de algum movimento separatista uigur.

— Você fala bem o inglês — comentei certa vez com ele, enquanto tomávamos chá de jasmim, com uvas secas.

— Um amigo está me ensinando. O inglês é mais importante que a língua dos chineses. Já aprendi alguma coisa em mandarim, mas evito falar. Queremos nos relacionar com pessoas de fora, contar nossa história. Mas em breve tudo vai mudar.

— Que mudanças você está esperando?

— Do jeito que as coisas estão indo, acredito que daqui a uns dez anos os uigures assumirão o poder nesse território — respondeu com ares de mistério.

— Você dá a entender que alguma coisa está sendo articulada...

— Conheço muita gente que tem saído da China para participar de reuniões com chefes uigures em outros países próximos da fronteira, ou até mesmo na Turquia, onde temos muitos exilados.

— Sei que as fronteiras da China são extremamente vigiadas pelo exército e que os chineses, ou as minorias daqui, não têm direito a fazer livremente seus passaportes. E muito menos sair do país sem comprovar o que vão fazer no exterior.

— O movimento separatista uigur é muito forte. Existem esquemas para cruzar as fronteiras. Eu mesmo, sem passaporte, já fui ao Cazaquistão duas vezes. — Abdul encerrou a frase sem dar espaço a explicações sobre o que o havia motivado a viajar clandestinamente ao país vizinho.

Em Almaty, a antiga capital cazaque, uma organização de libertação do Turquestão Oriental — como Xinjiang era chamada no passado — funciona livremente desde a queda do governo comunista em Moscou.

— Minha nação é o Islã. Nossos irmãos muçulmanos nos libertarão mais cedo do que se espera. Você terá notícias.

Antes de deixarmos Turpan Abdul nos convidou para conhecer

Gaochang, a antiga capital uigur, a 46 quilômetros ao leste de Turpan. No passado, foi uma cidade grandiosa, cercada por muralhas, até ser arrasada pelas hordas de Gêngis Khan. Agora, não passa de uma ruína, esquecida no silêncio do deserto, com amontoados de tijolos de barro. Percebe-se, no entanto, que ali estava edificada uma capital de proporções monumentais.

Nosso amigo sentia orgulho em mostrar-nos parte de sua história. Aquele foi o último passeio que fizemos juntos.

No dia de nossa partida para Urumqi, a cidade oficial de Xinjiang, onde ficaríamos alguns dias para pegar a estrada para Kashgar, Abdul apareceu na rodoviária para se despedir.

Marcelo tinha acabado de comprar cordas de náilon e eu me preparava para subir no teto do ônibus para amarrar nossas bagagens, que seguiriam no bagageiro externo. No final da viagem, como já prevíamos, as roupas mesmo dentro das mochilas chegariam tão empoeiradas quanto o ônibus.

Notei que Abdul estava um pouco preocupado. Apertou minha mão e fez um pedido.

— Se você pretende escrever alguma coisa sobre o povo uigur, não mencione meu nome, certo?

— Tudo bem. Sei que vocês vivem sob vigilância sem tréguas.

— E caso eu apareça em alguma foto ou imagem que vocês fizeram não as utilizem, por favor. Posso confiar em vocês?

— Claro que pode!

Antes de entrar no ônibus, ele me passou um pequeno pacote embrulhado em papel cortado a mão e amarrotado. Ele adiantou a surpresa.

— É uma camiseta branca. Lembrança de um amigo uigur, que em breve estará livre da China — sorriu, reforçando para mim seu maior desejo.

Assim que o velho ônibus russo arrancou, levando no teto uma montanha de malas, sacos de comida e bicicletas — o que o fazia pender um pouco para a esquerda —, um passageiro apressou-se para sentar no último banco, perto de nós.

O rapaz chinês, de bigodes finos e compridos que desciam pelos cantos dos lábios, nos cumprimentou com sorrisos e tirou um Alcorão da bolsa a tiracolo. Sem-cerimônia, começou a recitar em voz alta trechos do livro sagrado. Na verdade, ele era da minoria hui, uma distinção entre os chineses que seguem o Islã.

Urumqi era parada obrigatória para seguirmos rumo a Kashgar. A capital de Xinjiang, ao contrário de todo o restante da gigantesca província, tem a aparência da China, que vive sob a febre do crescimento desmedido.

A começar pela sua população de 1,5 milhão de habitantes, dos quais 80% são da etnia han. Ali, os uigures e outros povos, como cazaques e uzbeques, ficam confinados aos subúrbios.

Quando os chineses comunistas invadiram Xinjiang no final dos anos 1940, Urumqi não tinha cem mil habitantes. Na última década do século XX havia se transformado numa metrópole repleta de táxis, poluída e tomada pelo barulho incessante de serras elétricas trabalhando 24 horas em obras intermináveis. Levantam-se *shoppings centers* e altos édifícios da noite para o dia.

Novos ricos chineses desfilam pelas ruas em carrões fabricados em Xangai. Os *shoppings* estão sempre lotados, com jovens chineses abarrotando as casas de *fast-food* ao estilo norte-americano.

— Urumqi é o único lugar do mundo onde você verá lindas chinesas louras — brincou comigo um italiano, que conheci no hotel em Pequim.

Ele se referia às mulheres e filhas de russos, que migraram para a cidade em busca de oportunidade no comércio.

Os chineses das novas gerações importaram um fenômeno que invadiu o interior da China nos finais do século XX. Há muitos, e barulhentos, clubes de karaokê, com entrada disputada por chineses e russos.

Essa massa chinesa que habita Urumqi é resultado da política de Mao Tsé-tung para ocupar as terras de Xinjiang. Milhões de chineses foram forçadamente enviados por Mao para trabalhar em fazendas na região, construir ferrovias, estradas e cidades, como é o caso de Urumqi. Em 1949, havia cerca de duzentos mil chineses han na província. Em 1993, de acordo com as contas do censo chinês, eles chegavam a seis milhões.

Há razões de sobra para os comunistas tentarem controlar, a todo o custo, a província do noroeste. Além de sua posição geográfica estratégica, a região produz legumes e frutas em grande quantidade e variedade; tem uma das maiores pastagens e o melhor algodão do país.

As grandes cadeias montanhosas do Altai e do Tian Shan, que cortam o território, estão repletas de ouro, ferro, manganês, prata, cobre e pedras preciosas. No hotel que nos hospedamos em Urumqi, li numa publicação em inglês que dos 145 tipos de minerais encontrados na China, nada menos que 118 são retirados do solo de Xinjiang. E que embaixo de Urumqi repousa um oceano de reservas de carvão.

Essas reservas de carvão na capital de Xinjiang podem chegar a 160 milhões de toneladas. Ou seja, um terço das reservas de todo o país, informava a publicação.

— Os chineses estão acabando com nossa terra — confidenciou-me um funcionário uigur do hotel, que aparentava uns vinte anos.

— A partir de 1964, próximo à bacia do rio Tarim — continuou ele —, eles começaram a fazer testes nucleares no nosso deserto. Contaminaram água, animais, gente, tudo que existe ali.

— E o que vocês fizeram? — perguntei, enquanto esperava ele fechar nossas contas no hotel.

— Houve muitos distúrbios em toda a província, mas a repressão chinesa é muito dura. Entre 1990 e 1993 várias revoltas armadas aconteceram em Kashgar.

— E...

— O exército chinês ocupou a cidade e muito sangue foi derramado. Kashgar ficou fechada. Ninguém entrava ou saía. Vocês estão indo para lá, não é? Li na ficha que vocês preencheram quando chegaram.

— Sim. Estou muito curioso para conhecer Kashgar.

— Vocês vão conhecer o que, nós uigures, consideramos ser o nosso centro islâmico.

Em pouco tempo, descobri que Kashgar não era apenas o coração vibrante do Islã na China. Representava a principal barreira para o projeto chinês de ocupação definitiva de Xinjiang.

Ali, não existiam placas em mandarim nem nas agências de correio. Ninguém falava uma palavra no idioma em chinês, as crianças eram educadas na língua uigur — mesmo contra a vontade de Pequim —, e os chineses ficavam confinados num setor onde moravam e tinham seus restaurantes, suas lojas de roupas e de eletrodomésticos.

Nos dez dias em que permanecemos em Kashgar, não vimos chineses freqüentando a praça onde está a Mesquita de Id Kah nem o Mercado de Domingo, os lugares mais movimentados da cidade. Apenas alguns garotos chineses, metidos em uniformes policiais, faziam rondas esporádicas nas redondezas. Mas traziam no rosto a expressão do medo, sugerindo que não estavam preparados caso precisassem entrar em ação. Quase não andavam a pé. Preferiam ficar seguros no interior de jipes da polícia.

Não poderia haver lugar melhor para se hospedar em Kashgar do que o Hotel Seman, o mais popular entre os viajantes. O Seman funciona num complexo de prédios antigos, onde no passado funcionou o consulado russo, quando Rússia e Inglaterra pretendiam expandir seus domínios na Ásia Central. O *hall* de entrada é um amplo salão com luminárias enormes pendendo do teto.

Como há muitos e diferentes tipos de aposentos, desde apartamentos com ar-condicionado e TV em cores, até quartos simples com cama de solteiro e sem banheiro, no Seman circulam os mais diferentes tipos de pessoas que se atrevem a aventuras por aquela região. Grande parte dos hóspedes é de jovens mochileiros, principalmente europeus e americanos, que há meses estão na estrada, viajando com pouco dinheiro e indo para onde o vento levar.

Atrás do balcão da recepção um relógio marcava o horário de Xinjiang, duas horas a menos que Pequim.

— Estou viajando há quase um ano pela China e aqui em Xinjiang é o único lugar que as pessoas não respeitam o horário de Pequim — disse-me um italiano escarrapachado num sofá próximo ao balcão onde nos registrávamos.

Na China, de proporções continentais, só há um fuso horário. O que é inexplicável e torna ridículo o funcionamento de muitas cidades. Pelo horário de Pequim, a cerca de cinco mil quilômetros de Kashgar, pontos comerciais que respeitavam o fuso oficial só abriam as portas por volta das dez ou onze horas da manhã.

Bancos, correios, rodoviária e aeroporto seguiam o horário imposto pelos burocratas da administração federal. No setor chinês da cidade, restaurantes serviam o almoço só a partir das duas horas da tarde. Quando marcávamos algum compromisso, principalmente no caso de viagens, era sempre prudente perguntar:

— Que horário está valendo, o de Pequim ou o de Xinjiang?

Depois, percebi que bastavam cinco minutos de prosa com um uigur para ele dar uma olhada no meu relógio e checar qual horário eu obedecia. Estar conectado com o horário de Xinjiang era sinal de "estar do lado dos uigures". Mantive meu relógio de acordo com o fuso adotado pelos uigures.

Na primeira caminhada que fizemos por Kashgar, entendi por que o recepcionista do hotel em Urumqi chamava a cidade de "centro islâmico".

Chegamos a Kashgar numa sexta-feira, o dia mais sagrado para os muçulmanos. Por volta do meio-dia, os alto-falantes nos minaretes das mesquitas começaram a ecoar o *azan*, o chamado para a principal oração das sextas-feiras. Uma onda de homens seguia apressada em direção ao coração da cidade, a praça onde se ergue a maior mesquita da China muçulmana, Id Kah.

A cena naquele instante parecia tirada do mundo medieval. E não demoraríamos a descobrir que a parte antiga da cidade e o Mercado de Domingo também proporcionavam essa mesma atmosfera de um mundo que permanece no passado.

Na direção da Id Kah, tomava vulto um desfile de centenas de senhores vestidos em seus tradicionais *chapans*, pesados casacos de algodão feitos em tecido xadrez e que descem até a altura dos joelhos. Usavam chapéus de uma incrível variedade, desde os tradicionais *dopis*, a boinas, barretes e outros feitos com pele de carneiro. Botas de couro preto, bem altas e empoeiradas, completavam o figurino. Muitos deles tinham as pernas arqueadas, o que os faziam balançar de um lado para o outro enquanto caminhavam.

Era estranho vê-los vestidos daquela maneira, em pleno calor escaldante do deserto. Depois, percebi que tais roupas serviam para todas as ocasiões. Casacos e botas altas eram usados tanto nos cultos sob a sombra de mesquitas quanto nos mercados de animais, sujos de lama e pó, debaixo do sol a pino.

Havia famílias enormes, chegando em carroças puxadas por cavalos ou bois, onde se amontoavam crianças e mulheres ortodoxas com os rostos cobertos por burcas de tecido marrom-escuro, conhecidas como *paranjas*.

Nas vielas, aproveitando o movimento do dia, restaurantes e casas de chá expunham panelões repletos de cabeças de bode cozidas, um dos pratos prediletos na região. Outros mantinham nas portas de entrada nacos de carne com ossos pendurados, enquanto garotos assavam espetinhos de carneiro, item imperdível para os uigures a qualquer hora do dia.

No meio desse burburinho, crianças, adolescentes e adultos usando ternos esportes surrados seguiam para fazer parte do evento religioso. As mulheres uigures, que eu já me acostumara a ver desde Turpan com seus lenços e vestidos hipercoloridos, misturavam-se à multidão.

Muitas delas, ao contrário das ortodoxas, não escondem a face. São extremamente vaidosas. Exibem dentes de ouro, estão sempre maquiadas, usando brincos vistosos e com as sobrancelhas pintadas com lápis preto, de forma que fiquem unidas — um efeito considerado atraente. Elas porém não iam para a mesquita, onde são proibidas de entrar. A praça onde fica Id Kah é a apoteose, o lugar para onde todos aqueles personagens convergem.

Aproximei-me do portal principal do templo ladrilhado de amarelo e, entre a multidão, consegui ler algumas informações numa placa escrita em árabe e inglês.

A mesquita de Id Kah, que ocupa uma área de quase 17 mil metros quadrados, foi erguida em 1442 e reconstruída inúmeras vezes, principalmente durante o período de Mao Tsé-tung. O texto só não revelava que as obras de restauração foram necessárias porque os chineses a destruíam toda vez que os uigures se rebelavam contra o regime comunista. A entrada para estrangeiros, dizia o aviso, estava permitida, desde que o visitante se vestisse adequadamente, não portasse câmeras de vídeo ou de fotografia. O salão principal de oração era liberado apenas para muçulmanos.

Alguns guias de viagem informavam que os pátios e jardins internos da mesquita comportavam até dez mil pessoas durante os cultos. Mas segundo o povo local, esse número chega a dobrar.

Foi fácil nos meter entre os muçulmanos e alcançar o pátio interno da mesquita, onde assistimos ao culto de cerca de 30 minutos, com leituras do Alcorão e fiéis se agachando para tocar a testa no solo em reverência a Alá. Difícil foi sair de lá. Ao final da cerimônia, a multidão aglomerava-se para atravessar uma única porta de acesso à rua.

Mais que o culto, o que nos impressionou foi a cena formada diante da saída da mesquita. Uma gigantesca fila de mulheres e crianças que seguravam nas mãos potes de chá, chaleiras com água e pedaços de pão. Assim que os homens passavam por elas, sopravam ou mesmo davam cuspidelas naqueles alimentos.

Vi centenas de mulheres e mãozinhas de crianças aflitas, aproximando pães e recipientes com água ou chá na direção de minha boca. Disputavam meu sopro ou saliva. Fiquei curioso em saber do que tratava tal ritual. Foi impossível tirar a dúvida. Não encontrava uma pessoa nas imediações que falasse inglês.

Até que eu viajasse pelo interior da China, nunca tinha feito tanta mímica. Pedidos em restaurantes, compras, envio de correspondências, quase tudo eu conseguia por meio de gestos. Por seu lado, Marcelo transformou-se no desenhista oficial da expedição. Quando a mímica não funcionava, ele riscava num pedaço de papel o que precisávamos encontrar: bicicleta para alugar, banco para trocar dinheiro...

Um dos desenhos mais solicitados, o qual ele foi sofisticando o traço com o passar do tempo, consistia num campo de futebol, com jogadores dispostos em suas posições e uma bolinha no meio de campo.

Esse desenho resolvia a primeira curiosidade de todo uigur com quem "conversávamos" em restaurantes ou casas de chá.

"De onde vocês são?" faziam entender que queriam essa informação por meio de gestos simples. Batiam a mão contra o peito e diziam: "*Kashgaria! Kashgaria!*"

Depois, ficavam esperando pela resposta. Marcelo então rabiscava o campo de futebol e nós ouvíamos: "*Ah... Braziliá! Braziliá!*"

Mas compreender o ritual, que tínhamos acabado de ver na mesquita, por meio de desenhos ou gestos, exigiria um esforço sobrenatural. Ou, no mínimo, custaria um curso avançado com o mestre francês Marcel Marceau, o maior mímico do mundo.

Só à noite consegui entender do que tratava o rito sagrado.

— Mulheres e crianças muito pequenas não podem entrar na mesquita — começou a explicar-me Mohammad Tursan, um rapaz uigur que eu havia encontrado no John's Cafe, uma lanchonete simpática na rua do hotel Seman.

— Segundo a tradição — continuou ele —, os homens que participam de cultos às sextas-feiras saem de lá abençoados.

— E por que eles sopram os pães ou os potes com chá? — questionei.

— Bem, como eles acabaram de fazer as orações, estão purificados. Assim, podem distribuir bênçãos quando saem da mesquita.

— Então quer dizer que aqueles fiéis estavam benzendo alimentos com o sopro ou mesmo com a saliva?

— É isso mesmo.

— E depois as mulheres e as crianças levam a comida e a água abençoadas para casa, onde dividem com seus familiares.

— Não. Nada disso. O chá, a água e o pão têm efeito curativo. Eles serão dados apenas para os enfermos.

— Você já fez uso desses alimentos benzidos para curar alguma doença?

— Muitas vezes. Quando era criança minha mãe me servia chá trazido daquele ritual que você viu nas portas da mesquita de Id Kah.

— Funcionou?

— Acredito que sim...

Tursan tinha 27 anos. Magrelo, alto, pele morena escura e nariz afilado, parecia um jovem da Turquia, assim como nosso amigo Abdul, de Turpan. Gostava de dançar e chegou a demonstrar-me passos de dança folclórica, aproveitando a música uigur que tocava no toca-fitas do John's Cafe.

Morava próximo ao hotel e, como era amigo das recepcionistas, sempre era indicado para guiar turistas pela cidade. Dessa forma, ganhava um dinheiro extra. Como precisávamos de um intérprete, convidei-o para ficar um ou dois dias comigo e Marcelo.

— Tenho notado que a música é uma arte muito forte entre vocês — comentei.

— Os uigures são excelentes músicos. Há outras minorias aqui em Kashgar, como uzbeques e cazaques, que também fazem músicas e instrumentos maravilhosos.

— Hoje, no caminho para a mesquita, vi uma enorme loja de instrumentos musicais, onde havia várias pessoas tocando. O som era maravilhoso.

— Acho que sei do lugar que você está falando. É uma fábrica de instrumentos. Eu conheço o dono.

— Uma fábrica? Que interessante! Gostaria de ir lá.

— Claro, me encontro com você amanhã às nove horas.

— Horário Pequim ou Kashgar?

— Kashgar, por favor!

Tursan carregava um livro grosso, com páginas amareladas e amassadas, debaixo do braço. Pedi para dar uma olhada. Tratava-se do *The World's Religions*, do escocês Ninian Smart, respeitado pesquisador e autor de mais de trinta livros nessa área.

— Belo livro, hein? — comentei com ele.

— Ganhei de presente de um turista inglês, que conheci no ano passado. Se você quiser posso emprestá-lo.

— Muito obrigado, te devolvo em poucos dias — agradeci.

— O que está achando da leitura? — perguntei.

— Gosto do livro. Mas me serve mais para estudar inglês do que para saber sobre outras religiões.

— Certamente você é muçulmano — disse eu.

— *Allah-i-Akbar!* (Deus é todo-poderoso!) — respondeu-me com a frase em árabe, que meus ouvidos já tinham se acostumado a escutar ecoando dos minaretes.

Fui para a cama com o livro de Tursan e antes de dormir resolvi mergulhar um pouco mais no mundo muçulmano. A história de Maomé, o mensageiro de Alá, era leitura adequada para o momento. Recorri às pesquisas de Ninian Smart.

O Profeta Muhammad (o nome Maomé é uma alteração hispânica) nasceu no ano 570, em Meca, um lugar muito próspero na época. A cidade ocupava posição estratégica: ficava entre rotas do Mediterrâneo e de cidades ricas como Damasco, na Síria. Além disso, contava com a proximidade de portos, que serviam ao intenso comércio com a Índia e o Sri Lanka.

Maomé foi criado na casa de parentes, já que seus pais morreram quando ele era ainda bem jovem. Na juventude, sem dinheiro para entrar no ramo do comércio, acabou empregado por uma viúva muito rica chamada Khadijah, que se tornou sua esposa pouco depois.

Em 610, aos quarenta anos, Maomé teve a primeira visão do anjo Gabriel, que lhe passou a revelar as palavras de Alá. As mensagens do Deus único, pregadas por Maomé, foram recebidas com hostilidade por duas razões principais, de acordo com Smart. Ele escreve que, primeiro, o Profeta atacava duramente religiões politeístas, as quais veneravam vários deuses tribais e tinham muitos adeptos. E, segundo, a ética prega da por ele era contra o acúmulo de riquezas. Algo prazeroso, por sinal, para os ricos comerciantes de Meca.

Humilhado e expulso de Meca, Maomé buscou refúgio em Medina, em 622. Esse fato é conhecido como Hégira e marca o ano zero no calendário muçulmano. Em Medina, reconhecido como Profeta e hábil conciliador, Maomé conseguiu unir as tribos árabes e marchar com um poderoso exército sobre Meca. A cidade do Profeta é a sede da Caaba, a grande pedra que teria sido erguida por Adão, depois de expulso do paraíso. Diz a tradição que a Caaba, o principal centro de peregrinação islâmico no mundo, é a morada de Alá na Terra.

Maomé morreu em 632, como líder de Meca, de uma religião em expansão e de um Estado árabe que começava a se organizar politicamente.

Após sua morte, uma vez que não tinha nomeado um sucessor — e muito menos o Alcorão havia deixado essa revelação —, disputas violentas pelo lugar do Profeta foram travadas durante décadas.

Da guerra pela sucessão emergiram duas grandes facções islâmicas —, o sunismo e o xiismo. Para os sunitas, que formam cerca de 90% dos muçulmanos no mundo, a autoridade espiritual pertence a líderes escolhidos pela comunidade. Já os xiitas fazem parte da corrente minoritária do Islã, representada principalmente pelo Irã. De acordo com esses fiéis, a sucessão religiosa e política restringe-se aos descendentes diretos de Maomé. Eles são partidários de Ali, marido de Fátima, filha de Maomé. Tal convicção tem condicionado o ramo xiita a atitudes de extremo zelo com a religião.

Na manhã seguinte, conforme combinado, encontramos com Tursan na porta do Seman. O caminho para a fábrica de instrumentos musicais exigia que, mais uma vez, adentrássemos o mundo medieval de Kashgar. Pelas ruas, encontravam-se os ferreiros, os sapateiros, as ourivesarias, as carroças empilhadas com legumes, frutas e famílias inteiras, crianças carregando água em baldes de um lado para o outro, restaurantes oferecendo cabeças de bode. Um burro zurrava sem parar em algum quintal e a musicalidade do *azan* saindo dos alto-falantes lembrava o sagrado nome de Alá.

Caminhamos ainda pela Renmim Dong Lu, uma larga avenida com prédios administrativos de estilo russo, construídos entre 1950 e 1970. Em frente a uma praça da avenida ergue-se uma imensa estátua de Mao Tsé-tung, com 18 metros de altura, lembrando aos indiferentes pedestres uigures que estão na China comunista. Tursan lançou um olhar de desprezo para a estátua.

Na fábrica de instrumentos, próxima à mesquita de Id Kah, conhecemos o dono Mohammed Abei, de 23 anos. Abei faz parte da quarta geração de músicos em sua família. Abei e seu amigo Mohammad Imin Ababakre, de 27 anos, passaram o dia nos mostrando e tocando os mais diversos instrumentos.

— Temos de preservar a música uigur. É através dela que os jovens aprendem a nossa cultura — disse-nos Ababakre, também dono de uma loja de instrumentos.

— Mas não é nada fácil viver como músico em Xinjiang. Não temos tecnologia nem dinheiro para produzir CDs, e isso dificulta muito a divulgação de nossa música — reclamou Abei.

— Até da música uigur os chineses estão se apoderando. — Tursan entrou na conversa.

— De que forma? — perguntei.

— Os chineses estão levando alguns de nossos artistas para Pequim e gravando música uigur em CD. Só que as gravações são em chinês! — disse Abei, mostrando indignação.

— É um desrespeito! — concordou Tursan.

— E o pior é que as letras das músicas também não têm nada a ver com nossa cultura. Eles inventam umas histórias bobas e fazem os arranjos — concluiu ele.

A conversa estava acirrando os ânimos dos músicos uigures.

— O músico que se vende para os chineses, por mim não deveria mais pisar em Xinjiang — comentou Ababakre.

A loja tinha uma porta imensa que dava para a rua, além de janelas grandes abertas em folhas. Com a agitada movimentação lá dentro — discussões permeadas por solos de instrumentos de corda e de percussão, além do Marcelo gravando imagens —, curiosos paravam em frente às janelas e lá ficavam, esticando o pescoço na tentativa de ver do melhor ângulo possível o que estava acontecendo.

Uma mulher de seus vinte e poucos anos, carregando um instrumento num estojo de couro, entrou na loja. Música profissional, Shame Shinoro, como ela se apresentou, morava perto dali e ficou sabendo que dois estrangeiros estavam visitando a loja de Abei.

Shame tirou seu *duter*, um instrumento de duas cordas parecido com o banjo, e fez solos belíssimos. A reunião ganhava mais brilho. Nossa visita, que seria só pela manhã, estendeu-se pela tarde.

Os dias em Kashgar estavam ficando cada vez mais longos e intensos. No dia seguinte, ainda de madrugada, seguimos para as margens do lamacento rio Tuman, onde num imenso descampado acontece o Mercado de Domingo de Kashgar.

Essa grande feira é a maior de toda a Ásia e, há séculos, uma das mais famosas na região. O cenário parece extraído do *Livro das maravilhas*, de Marco Polo. O próprio viajante surpreendeu-se com o mercado, quando o visitou no século XIII. Em seus relatos, Polo disse nunca ter conhecido uma cidade onde produtos de todos os reinos estivessem à venda num só lugar. Quando o aventureiro italiano esteve ali, o mercado já existia havia pelo menos mil anos.

Um turbilhão de gente, que dizem somar cem mil pessoas, desembarca todos os domingos em Kashgar para comprar ou vender produtos. Juntam-se à população local de duzentas mil pessoas, que também se reúne no mercado. A chegada dessa gente é um evento imperdível: aparecem em lombos de mula, em ônibus lotados, de táxi, a pé, empoleiradas em tratores e carroças.

Vende-se, como no tempo de Marco Polo, de tudo. Há especiarias das mais variadas, tapetes persas, camelos bactrianos, aves, jóias, remédios caseiros, blocos de sal, seda das mais finas e uma infinidade de bois, cavalos e carneiros. Montam-se barbearias e clínicas dentárias ao ar livre. Faz-se muita comida, lê-se a sorte e domestica-se cavalos em exibições públicas.

Passamos o dia entre feirantes e barracas, empoeirados, com a roupa impregnada do cheiro de cavalo e de churrasco, mas extasiados com o espetáculo. Como não podíamos adquirir um belo camelo, compramos pequenos objetos e alguma coisa que fosse útil à viagem ao Paquistão.

Já que nossas bagagens sempre viajavam no teto dos ônibus, resolvi comprar um plástico preto e bem resistente para suportar a poeira e eventuais chuvas na estrada. Marcelo parou em frente a uma barraca onde um garoto vendia as maravilhosas adagas uigur.

Há séculos essas adagas são consideradas as mais bonitas e perfeitas da Ásia Central. Os cabos geralmente são de madrepérola e as lâminas produzidas a partir do melhor aço.

Marcelo demorou um bom tempo examinando cada peça. Escolheu duas, com arabescos entalhados no cabo. Fiquei em dúvida se se tratava de um objeto seguro para carregarmos na viagem, que ainda seria longa.

— Será que não é perigoso levar uma adaga dessas com a gente? — tentei convencê-lo a não comprá-las.

— Acho que não. Eu as embrulho bem e as jogo no fundo da mochila — respondeu.

— Por mim, essa compra seria dispensável. Acho arriscado andar com objetos tão pontiagudos como estes.

— Está bem. Durante a viagem vou tentar despachá-la para o Brasil numa agência de correio. Ficarei com uma delas e a outra vou dar de presente — continuou ele, olhando o objeto como quem admira um presente novo.

Marcelo informou ao garoto que levaria duas delas. Ele mesmo pegou algumas folhas de jornais chineses, que estavam no chão, e preparou um pacote cuidadoso, usando bastante papel e fita adesiva.

Para nossa sorte, Marcelo não as enviou ao Brasil. Semanas adiante, no Paquistão, as tais adagas nos tirariam de uma incrível enrascada.

Kashgar instigava nossas curiosidades e sentidos de tal maneira que resolvemos ficar mais uma semana. Assim poderíamos visitar o Mercado de Domingo novamente. Nem discutimos se valia a pena prolongar a estada na cidade.

Ganhamos mais oito dias pela frente e só na próxima segunda-feira pegaríamos o ônibus para a longa travessia até o Paquistão. O objetivo era pegar a Karakoram Highway, rodando 1.300 quilômetros da rodovia que cruza as maiores cadeias de montanhas do planeta. Um dos trechos mais dramáticos de toda a aventura estava prestes a ser revelado.

Conforme Tursan nos aconselhou, compramos as passagens para o Paquistão com antecedência. Só havia um ônibus diário, saindo às onze e meia da manhã, horário de Pequim. Segundo ele, muitos paquistaneses atravessavam a fronteira para fazer compras no Mercado de Domingo e, por isso, os ônibus desciam lotados. Seriam dois dias de viagem até Sust, a primeira parada em território paquistanês.

Na noite anterior à nossa partida de Kashgar, e também de despedida da China, fomos jantar num pequeno restaurante próximo do nosso hotel.

A especialidade da casa, obedecendo à tradição local, era espetinho de carneiro. Já que tínhamos tratamento *vip* no lugar — Marcelo havia feito amizade com o dono, Hussaim, nos primeiros dias em Kashgar —, prepararam-me um delicioso prato com legumes cozidos, acompanhado de *nan* e coalhada.

Quando chegamos, dois homens com uns quarenta anos tomavam cervejas animadamente. Hussaim apresentou-nos, puxou cadeiras e acabamos sentando com eles. Chamavam-se Masud Sher e Mohammad Zabrih.

— De onde vocês são? — perguntaram, ao mesmo tempo.

— Do Brasil — respondeu Marcelo. — E vocês?

— Somos do Paquistão. Nós dois moramos em Lahore, onde trabalhamos com comércio de tapete e seda. Temos também uma loja em Karachi — disse Masud.

— Amanhã pegamos o ônibus para o Paquistão. Estamos voltando para casa — comentou Zabrih.

— Nós também vamos para o Paquistão. Então pegaremos o mesmo ônibus — disse eu.

— Hussaim! — gritou Masud. — Traga mais cerveja!

— Suponho que vocês sejam muçulmanos — continuei.

— É, claro que somos! — responderam juntos.

— Mas o álcool não é uma bebida proibida entre os muçulmanos do Paquistão? Sei que no seu país não se vende bebida alcoólica livremente.

— É verdade. Mas estamos na China, e aqui podemos beber! — alegrou-se Masud, levantando o copo e propondo um brinde.

O dono do restaurante divertia-se por conta dos paquistaneses.

— Isso mesmo! Encham a cara! — Hussaim motivava os paquistaneses, que viviam algumas horas de liberdade etílica.

Notei que o álcool começava a fazer efeito nos paquistaneses.

— Hoje à noite vamos ver umas mulheres — comentou Mohammad Zabrih, agora abaixando a voz. — Vocês não querem ir?

— Quer dizer que, além de beber, vocês também vão cair na farra! — diverti-me com eles.

— Que muçulmanos espertos esses, hein? — comentei em português com Marcelo. — É impossível que eles façam isso no Paquistão.

Mais tarde, quando fui pagar a conta, Hussaim comentou reservadamente comigo:

— Alguns paquistaneses atravessam a fronteira só para fazer o que é proibido na terra deles. Aqui, jogam, bebem, vão atrás de mulheres e passam a noite nos karaokês.

Ao deixarmos o restaurante, os dois estavam enrolando a língua. Fomos dormir.

Na madrugada, enquanto Kashgar estava tomada pelo silêncio, fomos acordados por gritos e barulho de latas sendo chutadas na praça em frente ao hotel. Subi na cama e olhei por uma pequena janela que dava para a rua. Lá estavam os dois companheiros paquistaneses, Masud e Zabrih, bêbados e fazendo algazarra como dois adolescentes quando tomam o primeiro porre na vida.

Quando o sol nasceu, não os vi mais na praça. Nem os encontramos no ônibus que seguiria para o Paquistão.

Tursan acompanhou-nos no táxi Lada até a rodoviária. Durante o trajeto, ele voltou a falar do domínio chinês sobre Xinjiang. Tursan faz parte de uma geração que ouve de seus pais e avós o relato sobre a última tentativa de se estabelecer um Estado independente no noroeste da China.

Na década de 1940, rebeldes uigures, cazaques e mongóis tentaram fundar a República do Turquestão Oriental. Os planos pareciam estar dando certo até que os líderes do movimento separatista foram convidados a tratar do assunto em Pequim. A conversa estava marcada com a nova liderança comunista chinesa, que arquitetava a Revolução Cultural de 1949.

No caminho, o avião onde viajavam os chefes separatistas explodiu sem que houvesse explicações para o acidente. Logo após o desastre aéreo, tropas do exército de Mao promoveram uma caçada em Xinjiang, executando líderes islâmicos. O sonho do Estado uigur independente mais uma vez estava enterrado.

Estava deixando Xinjiang com a impressão de que naquele imenso território de montanhas e desertos adormece um barril de pólvora. Para explodir, basta uma faísca ser lançada.

10

Armas e Drogas em Shangri-lá

Desde as primeiras horas do dia, a rua do Chini Bagh Hotel estava agitada. Gente trazendo pacotes, carroças descarregando caixas e crianças vendendo espetos com carne de carneiro aglomeravam-se em frente ao portão de entrada. Os ônibus para o Paquistão partem do estacionamento nos fundos desse hotel, que no passado serviu ao consulado britânico e aos seus jogos geopolíticos na Ásia Central. Hoje em dia, pela comodidade, os comerciantes paquistaneses que atravessam a fronteira chinesa para abarrotar-se de compras em Kashgar hospedam-se no Chini Bagh.

Logo que vencemos a multidão e conseguimos entrar na fila em que dois fiscais — um chinês e outro paquistanês — checavam a bagagem dos passageiros, vimos o ônibus que nos levaria para a viagem internacional da China rumo ao Paquistão.

Os bancos eram desconfortáveis, com encosto baixo; o motor, barulhento, instalado do lado de dentro; e algumas janelas estavam emperradas — umas difíceis de abrir e outras impossíveis de fechar. Pela aparência, o ônibus necessitava de uma revisão urgente.

Equilibrando-se em cima do teto, sem muito sucesso e sob a pressão de paquistaneses impacientes, um chinês tentava acomodar um caminhão de mercadorias no bagageiro. A cada comentário de um passageiro irritado, o homem ficava ainda mais atrapalhado. A impressão era de que em questão de minutos ele se desmancharia em suor, perdido entre tapetes centro-asiáticos, bicicletas, brinquedos chineses, embrulhos com tecidos de seda e pesadas caixas de papelão dos mais variados tamanhos.

— Cuidado com minha bicicleta! — alertava um paquistanês, quase subindo no ônibus.

— Não ponha essa caixa por baixo que tem coisas de quebrar! — gritava outro.

— Se o senhor quiser, eu subo aí e arrumo tudo isso em um minuto! — sugeriu um rapazinho bastante nervoso.

Tursan traduzia tudo para mim e divertia-se com a cena.

— Esses chineses são mesmo atrapalhados — comentou.

Em alguns dias, toda aquela mercadoria seria despejada em lojas ou feiras de ruas em Gilgit, Rawalpindi, Islamabad, Karachi e em tantas outras cidades e vilarejos paquistaneses.

A Karakoram Highway, que começa em Kashgar, no lado chinês, e segue até a cidade paquistanesa de Rawalpindi, o ponto final da linha, funciona como única artéria comercial naquela região isolada. Eu estava presenciando a versão moderna dos mercadores da Rota da Seda.

O que não coubesse em cima do ônibus, seria levado junto com os passageiros. Seguiria a longa viagem no colo, entre as pernas das pessoas ou no estreito corredor entre os bancos.

Amontoadas no teto, as mercadorias — que formavam uma montanha àquela altura — foram cobertas com lona impermeável, amarradas com cordas de náilon e conferidas, novamente, pelos fiscais. Só seriam liberadas quando chegássemos em Sust, a primeira cidade em território paquistanês. Os quinhentos quilômetros, que nos separavam de Kashgar até lá, nos tomariam dois dias de viagem.

— Quinhentos quilômetros em dois dias? — Marcelo estranhou a demora.

— É que, obrigatoriamente, vocês terão de dormir em Tashkurgan, a última fronteira chinesa — explicou Tursan.

— Por quê? — perguntei.

— Por medida de segurança, a travessia para o Paquistão só é possível fazer durante o dia. A fronteira nunca abre à noite.

Para enfrentar aquele trecho da viagem, estávamos providos de bastante água, pacotes de biscoitos, frutas secas e pães. Dificilmente encontrava-se comida para comprar pelo caminho.

— Esse trajeto só pode ser feito entre maio e novembro — contou-nos Tursan. — Nos outros meses, a rodovia fica coberta de neve.

Desde o início da viagem, sabíamos de outro risco sério que enfrentaríamos ao pegar a Karakoram Highway, com o intuito de fazer por terra a travessia da China para o Paquistão. Sem aviso prévio, autoridades de ambos os lados costumavam impedir a circulação de veículos entre os dois países.

Caso isso acontecesse, tínhamos duas alternativas: ou esperávamos a fronteira ser aberta — o que nunca tinha previsão — ou voltávamos pelo mesmo caminho de onde tínhamos saído. Ou seja, refazer mais de cinco mil quilômetros até Pequim.

A razão, disseram, eram as avalanches rotineiras que danificavam as pistas da rodovia. E como tudo na Karakoram, o tempo gasto para os trabalhos de reparo era imprevisível. Muitas vezes, rochas gigantescas rolavam montanha abaixo até parar no meio da estrada. Nesses casos, só explosões resolviam o problema. E nem sempre os operários que fazem os serviços de manutenção têm dinamite disponível.

Uma coisa, entretanto, nunca nos foi explicada claramente. Mas pude deduzir algumas semanas depois de viajar pela Karakoram. Paquistão e China fechavam o acesso por terra dependendo do clima em vilarejos rivais, principalmente no lado paquistanês. É comum na região ocorrerem conflitos armados, motivados por posse de terras ou por diferenças étnicas.

A única maneira de saber se a fronteira estava liberada era indo até lá.

— Se tiverem algum problema, tenho um amigo tadjique em Tashkurgan. Ele pode ajudá-los no que for preciso — sugeriu Tursan.

— Muito obrigado. Seria ótimo encontrar um amigo seu por lá — agradeci.

— Ele trabalha num hotel razoável, onde vocês podem passar a noite.

Tursan anotou no meu caderno, em letras bonitas e bem desenhadas: Abdulvahap, Pamir Hotel.

O motorista deu longas buzinadas, avisando que o ônibus estava pronto para partir. Eram dez e meia da manhã, horário de Pequim, e saímos uma hora antes do previsto. Para nosso espanto, quem estava ao volante era o chinês atrapalhado. Pingando de suor, ele limpava o rosto e as mãos numa estopa ensebada.

Entre os passageiros, todos paquistaneses, viajava meia dúzia de mochileiros americanos e europeus, entre vinte e trinta anos. Havia apenas duas mulheres.

Kath, 23 anos, americana descendente de japoneses, estava percorrendo a Ásia havia dez meses. Tinha cabelos provocadoramente duros, formando tranças, que queria deixar crescer ao estilo dos *dread-locks* de Bob Marley. Nem ela ou seus três amigos americanos faziam idéia de quando voltariam para casa, em Nova York. Àquela altura, já tinham passado boas temporadas no Japão, em Hong Kong e vinham cruzando a China desde Xangai.

— Depois do Paquistão, vamos conhecer a Índia e o Nepal. Talvez a Tailândia. Vamos ficar, no mínimo, uns seis meses na estrada.

A outra passageira era Barbara, espanhola de Barcelona, casada com Michel — um francês nada simpático, que ficou calado durante toda a viagem, fazendo apenas alguns comentários rápidos com a esposa.

Barbara morava na cidade paquistanesa de Gilgit, para onde iríamos em alguns dias. Vestia o *shalwar qamiz*, a tradicional túnica comprida sobre calça larga, e Michel usava roupas ocidentais — calça *jeans* e camiseta. Fiquei curioso em saber como era a vida de dois jovens europeus no Paquistão.

— O que vocês fazem em Gilgit? — perguntei.

— Michel trabalha num hotel muito procurado por *trekkers* e montanhistas estrangeiros. Eu sou fotógrafa, faço cartões-postais que você verá à venda em livrarias e hotéis de Gilgit.

— E dá para viver?

— Vai se levando. Moramos aqui há um ano. Estávamos viajando sem destino, Michel arrumou emprego no hotel e resolvemos ficar.

— Acredito que viver num país muçulmano não seja muito fácil para as mulheres. É um mundo totalmente controlado por homens. Ainda mais para você que vem de um país europeu...

— Você está enganado. Os paquistaneses me respeitam, e eu levo uma vida normal.

Não sei o que ela quis dizer com "levar uma vida normal". Mas não me convenceu que tinha liberdade no Paquistão regido pelas leis do Islã.

— Uma hora dessas pegamos estrada de novo — falou.

Após Kashgar, a primeira centena de quilômetros da Karakoram é uma planície desértica e árida, castigada por vento forte e nuvens de pó. Mesmo com os vidros fechados — os que não podiam ser fechados eram vedados com toalhas ou panos —, a poeira invadia o interior do ônibus. Em alguns trechos, a monotonia do Taklimakan, que na língua uigur quer dizer "deserto de onde não se sai", só era interrompida por enormes dunas de areia.

De repente, a estrada deu sinais de que revelaria mudanças bruscas. O motor do ônibus rangeu, parecendo que ia rachar ao meio. A primeira marcha passou a trabalhar no limite máximo para puxá-lo desfiladeiro acima. A estrada subiu a 3.900 metros, e lá embaixo avistava-se o rio Gez, que mais parecia um filete de água.

Naquele momento, era curioso pensar que apertado no banco desconfortável do ônibus chinês, cujo corredor estava ocupado por pacotes e malas sacolejando, eu estava muito além dos 3.014 metros do pico da Neblina, a montanha mais alta do Brasil.

A paisagem tinha se tornado vertical. Com o rosto colado na janela, eu olhava para fora e acompanhava o ônibus beirando desfiladeiros vertiginosos, fazendo curvas fechadas uma após a outra. Acima, o céu tinha se tingido de azul muito forte. Não havia uma só nuvem.

O cenário agora estava tomado pela visão sublime da cadeia montanhosa do Pamir, onde picos elevam-se a quase oito mil metros. Com seus topos nevados, despontavam-se na paisagem as soberbas montanhas de Kongur, com 7.719 metros, e de Muztagh Ata, com 7.546 metros.

Pouco mais à frente, atravessamos cânions, desfiladeiros e mais planícies, dessa vez sem areia ou dunas. O terreno árido dera lugar a uma vastidão de pastagens, onde se espalhavam iaques, camelos bactrianos, ovelhas e pastores quirguizes com seus chapéus compridos de feltro branco enterrados na cabeça. A viagem apresentava uma incrível diversidade de cenários.

No finalzinho da tarde, quando já passavam das seis horas, chegamos a Tashkurgan. E, pela primeira vez em Xinjiang, tivemos de usar casacos para proteger-nos do frio. A temperatura havia caído para 10 graus centígrados, o que fazia enorme diferença para quem tinha se acostumado à média de 45 graus. A cerca de 3.600 metros de altitude, Tashkurgan restringia-se a uma longa rua, com ares solitários.

O ônibus entrou numa garagem e o motorista, ainda sem tirar as mãos do volante, virou-se para trás e balbuciou algumas palavras para os passageiros. Um paquistanês traduziu:

— Sairemos amanhã cedo, às oito e meia, sem atraso, para o Paquistão.

Marcelo e eu fomos procurar Abdulvahap na esperança de conseguir um lugar para dormir. Foi fácil encontrar o Pamir Hotel, onde Abdulvahap trabalhava como recepcionista. Ficamos instalados num quarto enorme, com meia dúzia de camas desocupadas e desconfortáveis, chão de cimento e banho gelado do lado de fora.

O banheiro, necessitando de reparos e de limpeza, não era recomendável nem mesmo para escovar os dentes. A descarga da privada não estava funcionando e a água jorrava barrenta da torneira da pia. Mas não havia opções de hospedagem na cidade.

O turno de trabalho de Abdulvahap terminava por volta das nove horas da noite. Muito gentil, convidou-nos para ir até sua casa — na verdade, ele morava num quarto particular no próprio hotel. Magrelo e alto como seu amigo Tursan, o rapaz tadjique nos mostrou sua morada.

Não tinha nada além de um colchão sobre o chão de cimento, um pôster com paisagens tropicais pregado na parede descascada e um caixote de madeira, que servia de estante para guardar livros e fitas cassetes. Em cima do caixote, ficava o gravador.

O que mais se destacava no quarto de Abdulvahap era uma montanha de tapetes, colocados uns sobre os outros, e que alcançavam mais de um palmo de altura.

— Para que servem tantos tapetes? — perguntei.

— São para o inverno. Quando o frio chega pra valer, eu os prego nas quatro paredes. O chão fica forrado com vários deles.

— Aqui faz tanto frio assim? — Marcelo estava surpreso.

— Todos os anos passamos uns cinco meses completamente isolados, a partir de novembro ou dezembro. Neva tanto nessa época, que nem mesmo carta recebemos. Ninguém tem coragem de vir para cá. A estrada fica interditada.

— E o que vocês fazem, caso fiquem doentes ou mesmo para conseguir comida? — indaguei.

— O ideal é que ninguém fique doente no tempo do frio! — riu de sua própria situação. — Em casa, fazemos estoque de carne-seca, frutas secas... E assim vai.

— Vocês, então, ficam completamente isolados de tudo... — Marcelo imaginou como seria dura a vida naquela região durante o inverno rigoroso.

— O hotel fica vazio e eu passo o inverno distraindo-me com leituras, ouvindo música. Quer ouvir música tadjique?

Abdulvahap colocou uma fita para tocar no gravador e mostrou-nos passos de danças folclóricas de seu povo. Colocou os dois braços para cima, estalou os dedos e requebrou levemente os quadris, num movimento que me fez lembrar o flamenco, a dança andaluza de raízes ciganas e muito popular na Espanha.

— Vou dar-lhe esta fita de presente, assim você vai poder mostrar a música tadjique para seus amigos.

— Então vamos trocar presentes! — respondi.

Antes de deixar o Brasil, tinha gravado algumas fitas cassetes com música brasileira para presenteá-las a pessoas de lugares e culturas tão distantes. Achei uma delas com músicas dançantes de Gilberto Gil, dos Paralamas do Sucesso e com cuidadosos arranjos de Luís Melodia. Tinha certeza de que aquele som o atrairia.

— Vou passar o próximo inverno aprendendo a dançar e cantar músicas brasileiras! — disse, com imensa alegria.

Ele contou-nos que em Tashkurgan morava a maioria dos vinte mil tadjiques de Xinjiang. E que, na língua tadjique, o nome de sua cidade significava "forte de pedras". Uma referência ao forte do século VI construído nas imediações, cujas ruínas são a principal atração local.

Tashkurgan é um lugar antigo. Foi mencionada em mapas do filósofo e cientista grego Ptolomeu, no século II, como parada obrigatória para quem seguia em direção à China. Arqueólogos chineses, que investigaram a origem da cidade, apontam sua existência há 2.300 anos.

A noite no Pamir Hotel não foi das melhores. Na madrugada, a temperatura baixou a zero grau, e mal agasalhados, sem cobertores, dormindo em colchões desconjuntados, acordamos bem cedo. Não tínhamos o que fazer senão esperar o reinício da viagem pela Karakoram.

Saímos pontualmente às oito e meia da manhã. Se tudo corresse bem, em duas horas estaríamos no posto de imigração chinesa, num lugar desolado chamado Pirali, recebendo em nossos passaportes o visto de saída da China.

O trajeto, que desenhado no mapa parecia curto, prolongou-se pela sucessão de vistorias nos postos de fiscalização chineses. O ônibus parava a cada dez minutos para militares chineses conferirem passaportes, fazerem inspeções no veículo, examinarem o rosto de cada um dos passageiros.

Era impressionante a seriedade daqueles soldados robotizados, que não esboçavam a mínima expressão. Comunicavam-se apenas com sinais e batiam continência para o ônibus quando ele podia seguir a viagem.

Depois dos tão esperados vistos de saída — e da troca de motoristas, naquele momento o ônibus passou para as mãos de um paquistanês —, chegamos enfim ao Passo Khunjerab, a linha divisória entre a China e o Paquistão. A fronteira estava livre.

A 4.730 metros, o Khunjerab é a passagem internacional mais alta do mundo. Em tadjique, Khunjerab quer dizer Vale Sanguinário. Tudo indica que foi assim batizado por causa de assaltantes que, no passado, atacavam com ferocidade os condutores de caravanas.

Quando um sorridente militar paquistanês de longos bigodes, vestido num uniforme esgarçado, levantou a cancela e fez sinal para o ônibus prosseguir, Marcelo não se conteve:

— *Pakistan! Pakistan!* — saudou aos gritos.

Os paquistaneses bateram palmas, vieram nos cumprimentar, apertaram nossas mãos. Os americanos também aplaudiram. Michel, que viajava com o rosto colocado no vidro, nem se mexeu. Barbara olhou para Marcelo e fez uma cara de desprezo, desaprovando-lhe a atitude.

— Você já esteve no Paquistão alguma vez? — perguntou ela, ríspida, porém em espanhol para não ser compreendida pelos outros passageiros.

— Não. É a primeira vez — respondeu ele.

— Pois não comemore antes de conhecê-lo — falou com certo rancor nos olhos.

Com essa declaração, Barbara comprovou o que eu já desconfiava. Mesmo que não admitisse — e não sei por quê —, deveria ser complicado para uma européia viver num lugar onde mulheres são cerceadas por rigorosas leis religiosas. Em seguida, ela trancou a cara e voltou-se para a planície lá fora.

Marcelo e eu nos olhamos sem entender tamanha falta de bom humor da espanhola. Então emendei:

— Como é que é, Marcelo?

— *Pakistan! Pakistan!* — repetiu ele.

Novamente os paquistaneses vibraram.

Na verdade, aquele trecho da estrada em que havíamos acabado de entrar não era exatamente o Paquistão. Era uma terra de ninguém — um território neutro, onde foi criado o Parque Nacional Karakoram, uma reserva binacional administrada pela China e pelo Paquistão. O lugar é habitado por animais selvagens como marmotas do Himalaia, ursos pardos e raposas.

No interior do parque, passamos por três postos militares paquistaneses até entrarmos de fato no país, na cidade de Sust, o ponto final da viagem. A partir dali, com passaportes carimbados, cada um dos passageiros tomou seu rumo. Marcelo e eu subimos na traseira de uma pequena caminhonete Suzuki, que nos deixou no início da noite em Karimabad, no vale do Hunza. Dali começaríamos a explorar, sem pressa, os arredores da Karakoram Highway.

Na década de 1960, para selar relações diplomáticas e comerciais, China e Paquistão embarcaram num audacioso projeto de engenharia: construir uma estrada cortando as maiores cadeias montanhosas do mundo. É entre os 1.300 quilômetros, que separam Kashgar de Rawalpindi, que se encontra o verdadeiro "teto do mundo".

Localiza-se ali uma fantástica zona de colisão da Ásia com o subcontinente indiano, onde massas de montanhas convergem umas sobre as outras, tocando-se nas alturas. As cordilheiras dos Pamires colidem com as do Karakoram e dos Himalaias ocidentais. As cadeias do Hindu Kush, por sua vez, vão de encontro aos Pamires e, completando o círculo, as gigantescas montanhas do Kunlun crescem desde o Tibete em direção ao noroeste.

Nesse complexo montanhoso, erguem-se os gigantescos K2, a segunda maior montanha do mundo, com 8.611 metros; o Nanga Parbat, de 8.126 metros; o Batura, com seus 7.785 metros, e o Kongur, de 7.719 metros. Sem falar no belíssimo Rakaposhi, com seu pico nevado a 7.790 metros, que impera sobre os vales verdejantes da mítica cidade de Karimabad. Há mais de três dúzias de picos na região que ultrapassam os sete mil metros de altitude. Não há lugar do mundo onde ocorra tal fabuloso encontro de montanhas.

Para vencer esses paredões maciços, mais de 35 mil trabalhadores paquistaneses e chineses, cada um do lado de seu país, detonaram mais de oito mil toneladas de explosivos. Mais de uma centena de pontes de aço e de madeira foram suspensas nas alturas para ligar trechos na rodovia onde outrora nem burros de carga atravessavam. Essa massa de operários, no entanto, trabalhava sob a mais precária condição imaginável. Além das dinamites, não utilizavam mais nada além de picaretas e pás.

Foram necessárias duas décadas para a Karakoram ficar pronta. Em 1986, por fim, a rodovia foi liberada aos viajantes. Em toda sua extensão, que margeia abismos colossais, não existem *guard-rails* ou sinalizações. Estreitíssima em vários trechos, curvas fechadas dão a impressão de serem incapazes de comportar um único veículo. Nessas ocasiões, o único item de segurança obrigatório é a buzina.

A Karakoram Highway, pode-se dizer, continuará eternamente em obras e sob manutenção. Deslocamento de geleiras e tremores de terra fazem parte de sua rotina. Várias vezes, caminhando à beira da rodovia ouvíamos estrondos ao longe, seguidos dos ecos de pedras repicando umas sobre as outras. O som era tão forte, que se assemelhava a explosão de dinamites. Na realidade era mais uma avalanche.

A razão de tantos deslizamentos é que aquele trecho do planeta ainda não se acomodou. Estávamos viajando numa região geologicamente jovem, onde estão as mais novas cadeias montanhosas do mundo. O processo de formação do Karakoram e do Himalaia começou há 55 milhões de anos, quando o subcontinente indiano colidiu com a enorme massa centro-asiática.

O subcontinente continua expandindo-se numa média de cinco centímetros a cada ano e, assim, as montanhas são empurradas para o alto. Dessa forma, num terreno em formação, tornam-se comuns deslizamentos de terra e terremotos. Não por acaso, *karakoram*, em turco, quer dizer "pedras que desmoronam".

Em Karimabad, amanhecemos num pequeno hotel, encontrado às escuras na noite anterior. Ao chegarmos, o vilarejo estava sem luz e não encontrávamos a lanterna, perdida em algum lugar no meio das bagagens. Nada se via, além das chamas de velas tremulando dentro das casas. Por sorte, fomos ajudados por Oto, um montanhista japonês, que estava na mesma caminhonete Suzuki que pegamos em Sust. Fazia três meses que ele explorava as montanhas do vale do Hunza.

— Venham por aqui — disse ele, iluminando com sua lanterna uma escada estreita e bastante íngreme, que descia barranco abaixo.

— Eu já fiquei nesse hotel. É simples, mas muito especial.

Um menino de uns dez anos surgiu com uma vela e mostrou-nos o quarto amplo, com duas camas próximas à janela. Era bem limpo, tinha cobertores, e isso bastava. Pedimos sopa de legumes e fomos dormir.

Quando as primeiras luzes da manhã atravessaram as frestas da janela, resolvi abri-la para ver, afinal, onde estávamos hospedados. Foi uma das mais gratas surpresas da viagem.

Meus olhos ficaram pregados na face nevada do Rakaposhi, logo à minha frente, com seus 7.790 metros subindo em direção às nuvens. Aos pés do maciço, um vale extenso estava tomado de plantações de trigo, que continuavam terraceadas até as encostas das montanhas ao redor do Rakaposhi. O rio Hunza acompanhava o contorno dos paredões. Eu estava absorvido pela cena.

— Bela vista, hein?!

Olhei para o lado e vi um senhor de barbas grisalhas e ralas, olhando ao longe, enquanto se dirigia a mim. De baixa estatura e barrigudo, Lal Hussain era o dono do hotel Old Hunza Inn. Tinha 48 anos, bem menos do que aparentava.

— Não existe lugar mais bonito no mundo do que o vale do Hunza! — afirmou ele.

— Você já visitou muitos lugares? — perguntei.

— Não. O mais longe que conheço é a capital Islamabad. Mas sei que esse vale é abençoado.

Lal Hussain estava certo. Não precisava percorrer o mundo para comprovar que estávamos diante de um lugar muito especial, capaz de despertar um sentimento de paz peculiar.

Para os ocidentais, o vale do Hunza é onde estaria oculta a lendária Shangri-lá, morada de sábios e terra da juventude eterna. Nos anos 1970, o lugar ganhou certa fama internacional ao servir de cenário a uma série de reportagens sobre a incrível longevidade dos povos da região.

De fato, há muitos anciãos nos arredores de Karimabad. Não foram poucos os que vimos, geralmente ocupados com atividades manuais, como sapateiros e ferreiros, que pela aparência das peles enrugadas deveriam ter pelo menos um século de vida.

— Você comeu damasco no vale do Hunza? — era a pergunta corriqueira que me faziam moradores dos vilarejos da Karakoram quando eu informava ter passado alguns dias em Karimabad.

O damasco do Hunza, segundo lendas locais, é uma das fontes da juventude.

Lal Hussain convidou-nos para tomar café da manhã. Pela janela da cozinha, onde havia uma grande mesa já servida com chá, café preto, biscoitos, frutas secas e pães, via-se o onipotente Rakaposhi. Juntou-se a nós um de seus amigos, o engenheiro Haider Beg, que trabalhou durante dez anos nas obras da Karakoram Highway. Perguntei a ele como foi fazer parte daquela obra gigantesca.

— Trabalhávamos noite e dia — contou ele. — Ninguém admite publicamente, mas muita gente morreu para construir essa estrada. Perdi muitos amigos aqui.

— O que aconteceu, de fato? Certamente foi um trabalho realizado sob condições muito inseguras — disse eu.

— Você não pode imaginar o que é executar obras em beiras de abismos, num terreno onde ainda ocorrem avalanches — relembrou ele. — Todos os dias, explodíamos rochas, o que provocava gigantescos deslizamentos de terra. Muita gente morreu esmagada por pedras. Isso, sem falar nas condições do nosso clima.

— No verão, o calor é insuportável, e a temperatura chega aos 45 graus. E no inverno pode cair para 30 graus negativos — completou Lal Hussain.

— Existe um número preciso sobre quantas pessoas morreram nas obras da Karakoram? — perguntei.

— Nosso cálculo era de cinco trabalhadores mortos a cada quilômetro. O que dá um total de 6.500 vidas perdidas. Muita gente foi enterrada nas avalanches.

O número impressionante representava cerca de 20% do total de operários envolvidos na construção da rodovia.

— Mas qual a real necessidade em fazer essa estrada? — perguntei.

Não recebi respostas satisfatórias. Mas não era difícil concluir o que teria motivado chineses e paquistaneses a tocarem o projeto audacioso.

Primeiro, nem China ou Paquistão engajaram-se no trabalho para fins turísticos. Para o jovem Paquistão, criado em 1947, a rodovia representava a possibilidade de unificar as etnias isoladas na região norte, de difícil acesso e envolvida em lutas por terras e autonomia.

Para a China comunista, a Karakoram significava a porta dos fundos para sua expansão comercial. Por intermédio dela, o país escoaria seus produtos aos mercados paquistaneses, indianos e até do Oriente Médio. Mas, principalmente, serviria para resguardar as frágeis fronteiras do oeste chinês.

Nas primeiras caminhadas que fizemos pelos arredores de Karimabad, ficamos surpresos com os vales bem cuidados, plantados com trigo e legumes. Os camponeses contavam com sistemas de canais espetaculares, que aproveitavam o degelo das montanhas para irrigar as plantações. Certa noite, enquanto jantávamos, comentei sobre isso com Hussain.

— O vale do Hunza está se desenvolvendo de forma extraordinária — disse ele.

— Não sei como era antes. Mas parece estar em ótima fase — comentei.

— Todas as plantações de legumes, hortaliças e frutas que vocês podem ver nos arredores são frutos do trabalho do Programa Aga Khan.

— Do que se trata?

— O projeto começou na época do ex-presidente Bhutto, na década de 1970. O Aga Khan é uma cooperativa administrada pelos moradores do Hunza.

— E o que vocês estão produzindo?

— Além das plantações, temos programas na área de educação. Abrimos escolas nos vilarejos aqui por perto e ensinamos artesanato para crianças e jovens.

— As meninas também participam?

— Claro! E as mulheres casadas também.

Hussain falava com orgulho das benfeitorias do Aga Khan. Soube depois que ele era um dos diretores do programa.

— É uma vitória dos ismaelitas.

A maioria dos moradores do vale do Hunza é ismaelita — um ramo do Islã que teria chegado à região por volta do século XVIII. Hussain explicou-me que os adeptos dessa seita xiita seguem as mesmas leis e dogmas ditados pelo Alcorão, porém não freqüentam mesquitas.

Chamam-se ismaelitas porque se consideram descendentes diretos de Ismael, filho do patriarca Abraão — considerado o pai do judaísmo, do cristianismo e do islamismo — e de sua concubina Hagar. As mulheres, como no restante da Karakoram, quase não eram vistas nas ruas de Karimabad. As ismaelitas, porém, não cobriam o rosto, usando apenas um véu sobre os cabelos.

Alguns viajantes tinham nos informado que, à medida que fôssemos em direção a Peshawar, o descaso com as mulheres ficava cada vez mais evidente — o que comprovamos. Na descida ao sul, elas foram desaparecendo de vista, e quando surgiam à nossa frente, eram apenas fantasmas anônimos atrás de burcas.

— Se você quiser conhecer um pouco do projeto Aga Khan, visite uma galeria de arte chamada Didar — disse Hussain. — Fica na mesma rua do hotel.

A Didar era uma loja pequena onde vendia-se artesanato, como brincos e pulseiras, além de belíssimos tapetes produzidos pelo pessoal da cooperativa.

Um europeu, vestido ao estilo paquistanês, examinava tapetes. Era francês, como notei pelo forte sotaque logo que nos dirigiu a primeira frase. Chamava-se Mohammad Farooq, tinha trinta anos.

— Mohammad Farooq! Nome peculiar para um francês, não é? — Achei curioso aquele nome, quando ele se apresentou.

— É porque eu me converti ao Islã. Enterrei meu nome ocidental no passado.

— Já faz muito tempo que você é muçulmano?

— Exatos dez anos. Vim ao Paquistão de mochila, viajando sem destino. Gostei muito, voltei a Paris para arrumar minhas coisas e retornei definitivamente para cá.

— Você está passeando em Karimabad?

— Não. Eu tenho uma fábrica de tapetes em Peshawar. Estou tentando montar uma outra aqui. As pessoas do Hunza fazem tapetes maravilhosos.

— É um bom negócio aqui no Paquistão?

— Quase toda minha produção é exportada para a Europa.

— Então você deve estar num ótimo ramo. Os tapetes paquistaneses custam muito pouco em rupias. E na Europa os preços disparam.

— Humm — grunhiu ele, em desagrado.

Senti que o Mohammad francês não havia gostado do meu comentário.

Mesmo assim, como era um homem de negócios, não perderia a oportunidade comercial diante de dois estrangeiros, potenciais compradores de sua mercadoria.

— Se vocês forem para Peshawar, passem na minha loja. Tenho tapetes lindos e posso fazer um preço especial. Conheço todos os caminhos da burocracia para vocês receberem a mercadoria pelo correio em suas casas. — Farooq passou-me um cartão com o endereço e o telefone comerciais.

Deixamos Karimabad na carroceria de outra caminhonete Suzuki, que fazia a linha vale do Hunza—Gilgit. Viajando a céu aberto, tivemos o privilégio de ser acompanhados durante um bom tempo pelo Rakaposhi. É provável que Shangri-lá esteja mesmo oculta atrás daquela majestosa montanha.

A estrada agora descia de forma dramática. A cada curva fechada, onde a vista só alcançava o precipício à frente, o motorista apertava a mão na buzina, mas sem tirar o pé do acelerador. Pelas curvas intermináveis, viajamos montanha abaixo ouvindo o constante som agudo das buzinadas. Gilgit estava a 1.500 metros de altitude.

Aquele incrível caminho que cruzávamos teve importância tão marcante, que para sempre influenciou civilizações do Oriente e do Ocidente. Há quatro mil anos, uma próspera colônia de agricultores e comerciantes floresceu à beira do mesmo rio Indo que nos acompanhava pela estrada. A região, conhecida como vale do Indo, depois de invadida por tribos arianas vindas pelas montanhas e planícies centro-asiáticas, foi o berço de uma das civilizações mais instigantes do mundo — a hindu.

Nos registros da história, o chinês Xian Zang, no século VII, e Marco Polo, quinhentos anos depois, foram os primeiros viajantes a tomar notas sobre a existência daquela via terrestre, que serpenteava pelas montanhas Karakoram. Ambos a chamavam de "A Grande Estrada do Norte".

A rota, que na época deles já era utilizada por mercadores e caravanas, serviu a trocas culturais entre civilizações orientais e ocidentais. Alexandre, o Grande, durante suas campanhas expansionistas, parou por um tempo em Taxila, próxima à atual Islamabad, no ano 326 a.C.

Um de seus aliados, Chandragupta, fundou ali a dinastia Maurya, de onde surgiu Ashoka, seu rei mais famoso. Entusiasta do budismo, Ashoka fez de Taxila um dos mais importantes centros filosóficos e religiosos do mundo. Foi a partir do que é hoje a Karakoram Highway que o budismo chegou ao Tibete e à China.

Apesar do passado hindu e budista, são as leis do Islã que ditam as regras de comportamento do início ao fim da rodovia do Karakoram. E é assim desde o século XI. Quando os primeiros muçulmanos chegaram na região para pregar as palavras de Maomé, o hinduísmo predominava. Não demorou muito, porém, para que o Alcorão despertasse a atenção do povo local.

A nova fé pregava a igualdade dos homens perante Deus, e isso significava uma saída à rigidez social imposta pelo sistema de castas hindu. Mas quem não recebeu por bem as palavras de Alá não viveu para contestá-las. Os fervorosos invasores muçulmanos destruíram todos os reinos hindus espalhados pelo vale do Indo, massacrando quem se opunha ao Islã.

No auge da Rota da Seda, Gilgit era ponto de parada obrigatória para as caravanas de mercadores, assim como foi Kashgar. A cidade funciona hoje como centro administrativo da região noroeste do Paquistão. Ponto de encontro de *trekkers* e montanhistas, que desafiam as alturas paquistanesas, Gilgit é um nó delicado no mapa da Ásia Central: está no centro de áreas de conflitos que envolvem Índia, China e Afeganistão.

Foi a partir dali que tribos patanes, logo após a independência do Paquistão, invadiram a Caxemira, região onde hindus e muçulmanos brigam por um Estado independente.

Presenciei em Gilgit a variedade de etnias que vivem ao longo da Karakoram. Nos jardins do agradável hotel Madina, onde se hospedam muitos montanhistas que desbravam picos poucos explorados nos arredores, conheci Mohammad Ayaz, um rapaz de vinte e poucos anos, conhecedor das mais diferentes línguas da região.

— Aqui em Gilgit, nosso idioma é o *shina* — disse ele. — Mais ao norte, falam o *wakhi*, também conhecido como tadjique. No vale do Hunza, conversa-se em *burushaski*. Um pouco mais abaixo de Gilgit, o *kohistani* é a língua mais usada.

— E você entende todas elas? — perguntei.

— Eu falo muito bem todas essas línguas. Existem outras, além dessas, aqui por perto. O *balti*, por exemplo, é o idioma de quem vive na região de Skardu. E o *pashtu* é utilizado pelas pessoas que moram em Besham, no vale do Swat, em Peshawar e no Afeganistão.

Diante de um poliglota, que dominava idiomas tão exóticos para quem vive no Ocidente, não perderia a oportunidade de fazer um registro sonoro. Gravei entrevistas e canções com Mohammad Ayaz.

Depois de Gilgit e circundando a parte ocidental do Himalaia, onde avista-se o Nanga Parbat, com seus 8.126 metros, o rio Indo corta um despenhadeiro tão profundo e estreito que nem a luz do sol o penetra. É o início da região chamada Indo-Kohistan, e uma das mais perigosas da Karakoram. Nesse trecho, a estrada desafia precipícios a cada metro e o terreno esfarela, dando a desconfortável impressão de que a rodovia pode desmoronar a qualquer momento.

A região é o quartel-general dos kohistanes que, como a língua deles traduz, forma o "povo que vive nas sombras das montanhas". É um território sem lei, onde há um movimentado mercado livre de metralhadoras, de pistolas e das mais diferentes armas de fogo, vendidas em bazares de rua nos vilarejos. O vizinho de um inofensivo comerciante de frutas e legumes comercializa metralhadoras *kalashinikovs* e granadas.

Nos dois dias que passamos em Besham, a caminho de Peshawar, uma loja de armas tinha me despertado a curiosidade. A entrada era uma porta estreita de madeira, que ficava sempre aberta para a ruazinha de terra, a principal da cidade. Estava sempre agitada. Eu queria entrar lá, mas os vendedores e a clientela que a freqüentava não me inspiravam confiança.

Algumas horas antes de pegar o ônibus que seguiria para Peshawar, passei em frente à loja e, inesperadamente, fui convidado a entrar e tomar um chá.

— *Sir! Sir! Come here, come...* (Senhor, senhor, venha aqui) — chamou-me um homem de seus quarenta e poucos anos, em pé na porta da loja. Não tinha por que recusar o convite. Era a chance de conhecer os negócios daquele comércio.

Mohammad Amin, um sujeito de barbas longas e olhar indecifrável, era o proprietário da loja. Tinha um sorriso um tanto sinistro, que eu não conseguia identificar se havia espontaneidade ou ironia. Como um comerciante qualquer do Oriente, perguntou-me se eu gostaria de ver suas mercadorias. Obviamente, queria vender-me alguma coisa.

Enquanto tomávamos chá, como se eu estivesse escolhendo sapatos, ele desfilava seu arsenal à minha frente. Amin foi até os fundos da loja, abriu uma porta de vidro e escolheu uma espingarda. Apontou-a para mim, fazendo mira na minha testa e falou:

— É um AK-47. Seiscentos tiros por minuto. Perfeita para ataques rápidos — explicava ele, enquanto armava e desarmava o rifle com movimentos ágeis, aproveitando para demonstrar sua habilidade.

— É uma arma nova? — perguntei.

— É de segunda mão, mas está em perfeito estado.

— E quanto custa?

— Seis mil rupias. Ou uns duzentos dólares.

— Hã-hã.

— Mas eu posso fazer um desconto muito bom. Esse é o primeiro preço.

— O que mais você vende? — interessei-me em ver a variedade de produtos.

— Jaffar! Jaffar! — gritou ele, voltando-se para quatro rapazes conversando animadamente num canto do balcão.

— Traga aquela que chegou ontem. Está lá atrás.

O rapaz atravessou uma cortina, que parecia dar acesso a um depósito, e voltou com uma metralhadora atravessada nas costas, exibindo-se para os amigos. A essa altura, o grupo me rodeava. Todos rindo para mim, talvez pensando: "Esse é dos nossos! Vai levar coisa boa e pesada!"

Jaffar parecia feliz só em segurar a metralhadora. Passou-a para Amin.

— Essa é uma *kalashinikov*, fabricada na região.

— Vocês produzem armas aqui? — espantei-me.

— Nós patanes somos ótimos para reproduzir qualquer tipo de arma. Até no quintal de casa podemos fabricar uma.

— Muito bom — concordei, como se fosse entendido no assunto.

— Essa *kalashinikov* é totalmente confiável. Pode levar: 120 dólares. Preço de amigo! — disse, e logo depois enfatizou:

— Primeiro preço!

O ajudante de Amin divertia-se. Pegou a metralhadora, apontou-a para a cabeça de um dos amigos e fez um som com a boca:

— Rá-tá-tá-tá-tá...

Todos riram. Mais por obrigação, eu também dei umas risadas.

— Temos também pistolas chinesas. Mas são mais caras, sobem para trezentos, quinhentos dólares. Tem até de mil dólares! Artigo dos bons!

Quando Amin falou "mil dólares" os rapazes pareciam excitados, fazendo comentários na língua deles. Patanes, tinha ouvido falar, cultuam um fascínio especial por armas.

— Jaffar! Pegue uma delas.

Jaffar voltou com a pistola na mão, levantou a túnica do seu *shalwar qamiz* e mostrou que dava para ocultá-la sob a calça.

— Viu só? Ninguém percebe que você está armado!

Jaffar exercitava seus dotes de modelo, e os amigos divertiam-se.

— Vender armas é um bom negócio aqui na região? — perguntei.

— Ótimo negócio, ótimo negócio! — Repetiram todos em coro, com largos sorrisos nos rostos.

— Há guerras por aqui, envolvendo muita gente — disse um patane encostado no balcão.

— E que tipos de conflitos são esses?

— Uns lutam por terras, outros para defender suas tribos e tentar ser livres do governo paquistanês.

— E se eu quiser levar alguma arma?

— Não precisa de documentação. É só pagar e boa sorte.

Nunca tive o mínimo interesse por armas. Mas naquele instante, só me restava fazer cara de intimidade na área. Se bem que, no fundo, eu mesmo duvidava de estar convencendo-os de alguma coisa.

"É só pagar e boa sorte", pensava na última frase de Amin. Tinha de inventar uma boa desculpa para ir embora dali. Acabei me despedindo da maneira mais simples e educada possível no mundo capitalista, do mesmo jeito como se eu estivesse escolhendo sapatos:

— OK, vou dar uma volta e pensar. Depois eu volto.

— Ei, senhor! Senhor! Temos revólveres usados, preço de ocasião, também podem interessar!

A única coisa que eu queria era pegar um ônibus ou uma caminhonete e partir para Peshawar.

Por sorte, Marcelo e eu conseguimos um lotação em poucos minutos. Como nossa bagagem já estava arrumada, passamos rapidamente no hotel e nos dirigimos para a frente de uma casa de chá, de onde partiam os transportes para cidades e vilarejos das proximidades.

Embarcamos num ônibus inacreditavelmente cheio. No teto, sentados em cima das bagagens, uma dúzia de passageiros se empoleirava da melhor maneira possível. Nos assentos onde cabiam duas pessoas sentavam quatro. Os corredores estavam ocupados por malas, sacos e caixotes com legumes e frutas.

Ao entrarmos em Peshawar, depois de quase seis horas sufocantes no ônibus, fomos surpreendidos pelo calor abafado e pela multidão que circulava pelas ruas. Era uma novidade para quem até então estava acostumado ao ritmo lento dos povoados às margens da Karakoram.

Uma massa humana seguia a pé, em bicicletas, em carroças que serviam de táxi, em ônibus de cores e desenhos psicodélicos, e no interior de riquixás — o pequeno e barulhento veículo de três rodas, com motor de motocicleta. As mulheres raramente apareciam diante dos nossos olhos. Ao surgirem, não passavam de fantasmas sem rostos e disformes, encapuzadas dentro de suas vestimentas opressivas.

A primeira providência em Peshawar foi procurar um lugar para hospedar-nos. Corri os olhos no guia de viagem *Lonely Planet*. Encontrei o que procurava:

"Tourists Inn Motel, boa comida nas redondezas e confortos ocidentais", dizia o guia. O texto continuava: "Localização: atrás da padaria do Jan, entre a Babur Road e a Saddar Road."

Até aquele momento não tinha nada a reclamar das dicas fornecidas pelo guia, confiei nas informações. Fiz sinal para um riquixá que ia passando e fomos em busca do Tourists Inn.

Como o endereço não indicava o nome da rua ou o número, e nem o motorista havia se disposto a ajudar-nos, fui obrigado a parar quem estivesse pela frente. Eu pedia ao motorista que diminuísse a velocidade e perguntava, colocando metade do corpo para fora do veículo barulhento:

— *Jan's Bakery!* (Padaria do Jan!) Sabe onde fica?

Repeti exaustivamente a mesma pergunta até que após uma curva num beco de terra, por pura sorte, avistei uma placa indicando: Jan's Bakery!

— *Rukiya! Rukiya!* — gritei em urdu ao motorista, pedindo para ele parar. Ele deu um golpe no guidom e estacionou de uma vez só.

— Nada mal para quem está aprendendo urdu, hein?! — comentei com Marcelo. — Em breve estarei conversando na língua deles...

— *Inshallah!* (Se Deus quiser!) — Marcelo continuou a brincadeira.

Desde que havíamos descido em Pequim, fazia mais de dois meses, treinávamos algumas expressões em línguas locais. Tínhamos aprendido frases curtas, em chinês, uigur e várias outras. O problema é que línguas e dialetos mudavam tanto quanto as paisagens.

Entrei na padaria do Jan e cumprimentei um bando de homens que estavam conversando de pé, próximos a um balcão.

— *Salaam aleikum!* — disse eu.

— *Aleikum salaam!* — responderam, cada um falando na sua hora e ritmo, de modo que o *aleikum salaam* ficou retumbando por alguns segundos nos meus ouvidos.

— Alguém sabe onde fica o Tourists Inn Motel? — arrisquei.

— Dê a volta por trás da padaria, siga pelo primeiro corredor à sua direita. Depois, vá até o fim dele — indicou um deles.

— Obrigado!

— *Salaam aleikum!* — saudaram.

— *Aleikum salaam!* — foi minha vez de retribuir a gentileza.

Enquanto Marcelo aguardava no riquixá com nossas bagagens, que ocupavam todo o banco de trás do veículo, fui checar o preço e qualidade do Tourists Inn.

Dei a volta por trás da padaria do Jan, conforme me ensinaram, e peguei o corredor estreito que ficava à direita. Segui em frente, cruzei um portão verde em que se lia o nome do hotel numa placa de madeira e deparei-me com uma cena absurda para os padrões de comportamento no Paquistão.

No pátio central do hotel, um paquistanês roliço, sem camisa e completamente molhado de suor, esticou a mão para me cumprimentar. Era um sujeito enorme, de peitos caídos sobre a imensa barriga flácida, com olhos apertados e vermelhos. Era inacreditável como suas pernas finas e tão curtas — metidas numa calça branca amarrada na cintura — podiam equilibrar aquele corpo pesado e desproporcional.

O que me pareceu mais estranho, contudo, foi o comportamento daquele homem. No Paquistão, mesmo sob o calor infernal do verão, os homens usavam calças e camisas de mangas compridas, para preservar o corpo de qualquer exibição. Para mim, que vinha de uma longa jornada em território muçulmano, aquela cena era uma novidade um tanto estranha.

— Olá, amigo! Procura algo? — perguntou ele, sorriso estampado no rosto. E emendou outra pergunta, numa forma amigável que se ouve por aquela região: — Qual é o seu bom nome e sua nacionalidade?

— Meu nome é Sérgio. Sou do Brasil.

— De onde? — ele fez cara de que não tinha identificado o país.

— Brasil. Terra do futebol, Pelé, Romário...

— *Pilé! Roumariou!*

Pronto. Eu já estava mais do que apresentado.

— Meu nome é Mohammad. Muito prazer.

"Claro, já imaginava que você chamava-se Mohammad", pensei com meus botões.

— Em que posso ajudá-lo, *sir*?

— Procuro um lugar para hospedar-me. Um quarto duplo. Estou viajando com um amigo — respondi.

— Ah, sim... — por alguns segundos pareceu-me que ele tinha esquecido de mim.

— Você tem algo disponível?

— Ah... sim, sim! Venha por aqui. Vou mostrar-lhe os dormitórios.

Não demos nem dez passos e, no pátio central, vi uma mesa enorme em que um grupo de uns quinze estrangeiros europeus e americanos sentavam à sua volta. Aparentavam ter entre vinte e quarenta anos.

Não se tratava, entretanto, de uma reunião familiar. No centro da mesa havia uma montanha de haxixe e outra quantidade considerável de heroína. Um rapaz de cabelos ruivos encaracolados, com jeitão de nórdico, injetava heroína na veia. Outros enrolavam longos cigarros de haxixe, enquanto discutiam a partilha da mercadoria.

Lembrei-me de uma cena deprimente que havia visto anos antes no norte da Tailândia. Nos arredores das cidades de Pai e Chiang Mai, vi índios akha, ainda bem jovens, esquálidos e tremendo pelas ruas arruinadas pelo vício do ópio.

O pátio do Tourists Inn Motel, constatei, era uma ilha sem lei. Assim como Mohammad, nenhum dos *junkies* usava camisa. Drogavam-se livremente, sem sequer se dar conta do calor avassalador de Peshawar. Suavam mais pelo efeito da droga do que devido ao sol ardente.

— Bom dia! — saudaram alguns dos *junkies*.

— Bom dia! E aí? Tudo legal com vocês? — respondi.

— *Yeah, man! Yeah...* — era tudo que conseguiam balbuciar.

Mohammad sorriu para o grupo e pediu que eu o seguisse pelo interior do hotel. Era deplorável. Não havia quartos, nem apartamentos, mas sim vários dormitórios, enormes, onde havia umas quinze camas e beliches em cada um deles.

Estava lotado de viajantes ocidentais. Apesar do calor, muitos dos hóspedes adormeciam estatelados nos catres. Certamente drogados. No chão, em cima ou embaixo das camas, espalhavam-se meias, mochilas, roupas e botas imundas.

"Estou fora!", pensei. "Ficar aqui é roubo na certa."

— O que você falou? — perguntou Mohammad, viajando em algum lugar bem distante dali.

— Vou falar com meu amigo que está lá fora me esperando.

Quando passei de volta pelo pátio, um europeu de dentes amarelados, e aparência de que se drogava há anos, me chamou:

— O que você está procurando?

— Um hotel — deixei escapar, como se já não estivesse dentro de um.

— E isso aqui o que é?

Gargalhadas vieram de todos os lados da mesa. Realmente ele estava certo. De qualquer forma, aquilo era um hotel. Pelo menos é o que dizia no guia de viagem. E na placa pendurada no portão.

— Acabo de chegar na cidade. Ainda vou dar um giro por aí. Até mais tarde...

O tráfico de drogas entre o Afeganistão e o Paquistão é intenso. A papoula, matéria-prima do ópio e da heroína, brota com fartura nas fronteiras destes dois países. Em 1979, quando a União Soviética invadiu o território afegão, a região tornou-se a maior exportadora de heroína do mundo, abastecendo as grandes cidades da Ásia, da Europa e dos Estados Unidos. Para os camponeses, o cultivo da planta era alternativa à guerra que arrasava a economia afegã.

Ao mesmo tempo, o comércio ilícito mantinha a circulação de dinheiro para a compra de armas. A cultura das drogas, e junto com ela a da criminalidade, deixaram terríveis seqüelas no Paquistão. O país tem mais de três milhões de viciados, além de inúmeros políticos, militares e policiais envolvidos com o tráfico.

Por seu lado, o Afeganistão tem se firmado como o maior produtor mundial de papoula. Estimativas da ONU apontam que 75% dessa planta é cultivada em campos afegãos. O segundo lugar nesse mercado ilegal é Mianmar, antiga Birmânia. Juntos, os dois países respondem por 90% de toda a produção mundial.

Com tanta fartura, a partir do início da década de 1970, a região popularizou-se entre jovens ocidentais que viajavam para lá em busca da droga fácil, barata e vendida livremente.

Descartamos a possibilidade de nos hospedar ali e fomos procurar outro hotel. Percorremos vários lugares e, surpreendentemente, estavam cheios. O porteiro de um deles acabou nos ajudando. Deu um rápido telefonema e confirmou a disponibilidade de quartos num hotel próximo à região central de Peshawar.

Num pedaço de papel, escreveu em urdu o endereço e passou para o motorista do riquixá. Depois, informou-me que o hotel ficava na Saddar Road, próximo a uma mesquita grande e pintada de branco.

Quando o motorista avistou o lugar, um prédio de cinco andares sem reboco, freou o riquixá tão bruscamente que quase fomos lançados para fora.

— Só pode ser aqui! — disse Marcelo, não demonstrando muita animação ao ver a fachada do prédio.

— Quanto é? — perguntei ao motorista.

— Quanto o senhor quiser. — respondeu.

Quando não se combina o valor com antecedência, esse é o preço de corridas de táxi, ou até mesmo de almoço e hotéis no Paquistão. Por fim chegamos a um acordo, proposto por ele: trinta rupias, o correspondente a pouco menos de um dólar.

Depois de descer toda a bagagem do riquixá, um homem nos seus quarenta e poucos anos, de pele morena bem escura e farto bigode, nos recebeu na entrada do hotel. Seu rosto não amigável.

Antes de fazer o registro de entrada, pedi para ver os quartos.

— Humm! — resmungou, entre os dentes.

Mancando, por causa de uma deficiência na perna esquerda, ele nos conduziu até o terraço do hotel. Subimos por uma escada estreita, sem corrimão, que serpenteava até o alto do prédio.

— Só temos esse quarto — informou, sem o mínimo interesse, abrindo uma porta de madeira gasta pelo tempo.

O chão era de cimento, havia duas camas sem lençóis, com colchões velhos e listrados de vermelho e branco. Do teto pendia um ventilador, que parecia estar com defeito. Por alguns segundos observei uma seta desenhada no forro do quarto, riscada em linhas grossas feitas a lápis.

— O que acha, Marcelo?

— Na situação em que estamos, meu amigo... Cansados e com os hotéis da cidade lotados, vamos ficar.

— Tudo bem. Quanto é a diária? — perguntei ao homem, que depois ficamos sabendo ser um dos donos dali.

— São duzentas rupias por dia, para cada um de vocês.

— Não tem desconto? — Marcelo entrou no negócio.

— Pelo amor de Alá! De jeito nenhum! Esse é o melhor lugar da cidade. Ótima vista para a mesquita.

— Pagamos duzentas rupias pelos dois, se você quiser. Senão, estamos indo embora — falei.

— Cento e oitenta, e fechamos — disse o paquistanês.

— Cento e cinqüenta! — barganhou Marcelo.

— Está bem. Mas o pagamento tem que ser adiantado.

— Tudo bem. Vamos ficar — concordei.

— Vou sair para comprar cigarros e já volto — avisou Marcelo.

O quarto onde nos instalamos ficava no terraço. Ali do alto, avistava-se no outro lado da rua uma mesquita branca com seus dois minaretes e o movimento de carros, carroças e bicicletas nos arredores.

Vizinhos à nossa porta havia outros três quartos, em condições tão precárias quanto o nosso. Também ficavam no último andar do hotel a cozinha e um cubículo, onde dormiam apertados meia dúzia de empregados. O banheiro, de uso coletivo, tinha na parede sem reboco um cano cortado pela metade que servia de chuveiro.

Alguns vasos com plantas raquíticas, que não se desenvolviam devido ao calor arrebatador de Peshawar, ocupavam os cantos daquela área externa.

No térreo, junto à porta que dava para a Saddar Road, um quadro de aviso ficava à vista de quem entrava. Em letras garrafais, uma mensagem escrita em inglês, árabe e urdu, alertava: "É proibido portar heroína, comercializar, picar-se ou usar drogas nas dependências deste hotel." O aviso denunciava quem eram os prováveis hóspedes do lugar.

Após a primeira noite maldormida em Peshawar, incomodados com o calor que não dava trégua nem mesmo de madrugada, saímos bem cedo para explorar a cidade. Como tinha nas mãos o cartão com o endereço da loja de Mohammad Farooq, o francês que encontramos em Karimabad, resolvemos fazer-lhe uma visita.

Nossa idéia era ver pessoalmente como funcionava uma típica fábrica de tapetes no Oriente. Farooq estava por lá, atrás das lentes grossas dos seus óculos, sentado a uma mesa e com os dedos ocupados na máquina de calcular.

— Vocês aqui! Que surpresa! — disse ele, enquanto terminava uma conta. — Vieram comprar alguma coisa?

Expliquei-lhe que gostaríamos de visitar sua fábrica de tapetes, gravar imagens das pessoas trabalhando e conversar um pouco com elas sobre a atividade de tapeceiro. Adiantei que não tínhamos interesse em fazer compras.

Farooq demorou um pouco a concordar com nossa solicitação. A frase "nosso interesse não é fazer compras" foi certamente o que o deixou em dúvida.

— Tudo bem. Preciso resolver alguns negócios perto da fábrica. Dou uma carona para vocês até lá.

Entramos no jipe de Farooq e cruzamos a cidade, entrando e saindo por bairros pobres até alcançarmos um campo de refugiados afegãos. Numa ruazinha de terra, uma casa com jardim malcuidado abrigava a fábrica de tapetes.

— Meus funcionários são todos afegãos — adiantou ele.

— Há algum motivo especial para você ter contratado apenas afegãos? — perguntei.

— Nada especial. Mas eles são excelentes tapeceiros. Faz parte da tradição desse povo.

Apressado, o francês apresentou-nos um homem chamado Mohammad Abdullah que, por acaso, estava na fábrica. Farooq disse que se ausentaria por alguns minutos para resolver negócios. Nunca mais o vi.

Abdullah era afegão, não falava muito bem o inglês, mas conseguimos nos comunicar sem problemas. Ele tinha a tez castanho-escura, barbas ralas e nariz afilado. Aos 33 anos, vivia num campo de refugiados na periferia de Peshawar.

Contou-nos que era um velho conhecido dos tapeceiros da fábrica, amigos da época em que moravam em Cabul. Como de costume, tinha passado ali para visitá-los. Quinze homens, todos foragidos do Afeganistão, dividiam-se nas tarefas de tingimento da lã, confecção, bordados, costuras e lavagens dos tapetes.

Como os refugiados falavam apenas o idioma *pashtun*, Abdullah fez o papel de intérprete. Ficamos impressionados com a habilidade daqueles trabalhadores em produzir tapetes tão belos.

Os estilos das peças eram os mais variados possíveis. Cores, desenhos geométricos ou de florais não se repetiam, proporcionando uma incrível riqueza de detalhes. Abdullah explicou que aqueles artistas inspiravam-se em tapetes turcos, persas e caucasianos. Fiquei imaginando o quanto deveriam ser valorizados quando chegavam às lojas na Europa.

Falávamos sobre a variedade de tapetes na Ásia, quando de repente o assunto mudou de rumo.

— Não estamos nem um pouco satisfeitos em trabalhar aqui — disse um dos tapeceiros.

— E por que, posso saber? — estimulei a conversa.

— Não recebemos remuneração pelo que produzimos — respondeu outro deles, que se apresentou como Mohammad Javed, enquanto operava as engrenagens de um tear de madeira rudimentar.

— Como não recebem? Vocês não passam o dia na fábrica tecendo tapetes? — indaguei.

— Trabalhamos num sistema de troca — informou Nasir, um senhor franzino, que trabalhava agachado sobre um lindo tapete.

Nasir, como Abdullah contou-nos, era um famoso restaurador de tapetes antigos em Cabul. Ele costumava receber em sua oficina peças com mais de cem anos, vindas de vários lugares da Ásia Central. Naquele dia, Nasir recuperava um tapete centenário do Cazaquistão.

— Esses tapetes são muito valiosos. Quanto mais velhos, mais valorizados são. Não é qualquer um que sabe consertá-los, usar linhas da cor original e reproduzir os mesmos pontos — observou nosso intérprete.

Retomei a conversa, que estava me interessando.

— Mas que tipo de troca é essa, entre o francês e esses tapeceiros, de que Nasir estava falando? Gostaria de saber — dirigi-me a Abdullah.

— Bem — iniciou Javed —, como morávamos sob péssimas condições em campos de refugiados, o francês nos convidou para trabalhar aqui. Em troca dos tapetes que fizéssemos receberíamos comida, um lugar limpo para morar e algum dinheiro.

— Só que o dinheiro nunca apareceu — disse um rapaz que costurava as bordas de um tapete. — E nós continuamos trabalhando...

— Para mim está bom — interrompeu um deles.

— Para mim também. Pelo menos aqui sabemos que vai ter comida e que não vamos ficar no frio ou na chuva — comentou outro.

— Mas não está certo. Esse trabalho vale muito dinheiro — revoltou-se um rapaz sentado no tear.

— Quantas horas eles trabalham por dia? — perguntei a Abdullah.

— O dia inteiro, todos os dias. Trabalham em troca de casa e comida. São como escravos.

Conversando com os tapeceiros, entendi exatamente o motivo que teria levado o francês Farooq a deixar a vida em Paris para se converter ao Islã e morar no Paquistão. A fé também pode ser uma questão de negócios.

— E você, Abdullah, o que faz para sobreviver em Peshawar? — perguntei, curioso.

— Tenho uma loja de tapetes — respondeu.

Antes que eu fizesse qualquer outra pergunta, ele se adiantou:

— Mas não vendo nenhuma peça produzida nessa fábrica. Estou muito revoltado com a miséria em que meu povo está metido. As pessoas que moram no Afeganistão, ou mesmo nos campos de refugiados no Paquistão, sobrevivem sob a opressão de exploradores.

Inesperadamente, Abdullah resolveu abrir-se comigo:

— Eu tenho um outro negócio.

— Que tipo de negócio é este? — instiguei.

— Há muito tempo eu vendo armas para o Afeganistão.

— Por vias ilegais, acredito.

— Isso mesmo — respondeu, seco.

— Você se importaria em contar como funciona esse seu negócio? — arrisquei.

— Tudo bem. Mas tem de ser na minha loja. E só nós três. Eu, você e seu amigo.

— E quando pode ser?

— Amanhã à tarde.

Abdullah escreveu a localização em meu bloco de anotações. A loja ficava no movimentado Saddar Bazaar.

No meio da tarde seguinte, quando o calor e o burburinho de pessoas, mercadores e riquixás nas vielas pouco iluminadas do mercado Saddar ficavam insuportáveis, Marcelo e eu tentávamos desvendar o endereço da loja.

Não havia indicação de número, rua ou qualquer outra referência. Só a sorte poderia ajudar-nos naquela situação. E foi o que aconteceu. Depois de pedir informações a alguns comerciantes, um menino acabou nos conduzindo até a loja de Abdullah.

Sozinhos, nunca encontraríamos o lugar. Atravessamos um labirinto tomado por lojas de frutas secas e especiarias, roupas e quinquilharias sem fim. A loja do afegão ficava no terceiro pavimento de um prédio pequeno e sem iluminação interna.

O menino bateu na porta, e o próprio Abdullah atendeu.

— *Salaam aleikum!* — cumprimentou-nos ele.

— *Aleikum salaam!* — respondemos.

Tiramos os sapatos e nos sentamos sobre tapetes persas belíssimos. A loja era bastante apertada, escura, mas com estoque suficiente para atapetar um palácio.

— Preciso manter o lugar assim — disse ele. — Sempre cheio de mercadorias, para que essa pareça ser minha única atividade.

Enquanto nos contava que tinha conseguido fugir para Peshawar em 1986, Abdullah preparava chá verde num pequeno fogareiro a gás.

— Os russos estavam acabando com Cabul e ficou impossível viver ali. Fugimos para o Paquistão num grupo de dezesseis pessoas.

— Todos amigos? — perguntei.

— Não. Eram pessoas da minha família.

— Você é casado?

— Sim. Eu tinha acabado de casar quando resolvemos fugir de Cabul. Tenho três filhos. Todos nasceram no campo de refugiados onde moro ainda hoje. Na verdade, não preciso viver entre os refugiados. Vendendo tapetes, consigo dinheiro suficiente para alugar uma casa.

— Mas o seu negócio principal não é esse, como você me contou ontem...

— Eu passo armas para o Afeganistão, essa é minha obrigação sagrada.

— Como são essas operações com armas?

— Saímos de Peshawar organizados em grupos numerosos. Às vezes somos quinze homens levando armas escondidas em *vans* comuns, com passageiros; ou em caminhões, que transportam comida.

— E como conseguem passar pela fronteira? Nunca foram apanhados pela fiscalização?

— Os paquistaneses nos postos de imigração sabem o que estamos transportando. Passamos tão fácil como se estivéssemos entrando no cinema. É só entregar o tíquete, que no caso é dinheiro.

Sem sair da posição de lótus em que estava sentado, o afegão curvou-se para ver se o chá estava pronto e puxou a bandeja com as xícaras. Em seguida, despejou o líquido em cada uma delas de uma altura de trinta centímetros, formando um arco efervescente no ar. Repetiu o mesmo gesto três vezes. Enquanto cumpria o ritual, Abdullah revelou que, certa vez, fez parte de uma grande entrega, em que trabalharam cerca de cem homens.

— Mas de onde vem tanta arma? — perguntei.

— Chegam de vários lugares. Vêm dos árabes e até dos americanos. Quando vim morar no Paquistão, quase no período final da guerra entre o Irã e o Iraque, muito armamento pesado circulou por aqui. Encontrava-se de tudo para comprar. Rifles, granadas, metralhadoras...

— E quanto às armas que vocês levam para o Afeganistão? Terminam nas mãos de quem?

— Vão direto para os chefes tribais. Depois, eles distribuem entre sua gente. Mas o objetivo de todos nós é apenas um.

— Posso saber qual é?

— Você sabe o que é a *jihad*? — respondeu-me com uma pergunta.

— Sim. A Guerra Santa, a luta em defesa da fé muçulmana. Quem vocês estão combatendo?

— Quem combatemos? Todos os que querem invadir o Afeganistão! Tem muita gente e de vários lugares pretendendo nos dominar. Tempos atrás foram os ingleses. Ontem, os russos. Agora, são os talebans, a mando do Paquistão — disse ele, elevando a voz. — Amanhã, se for a América, pode ter certeza de que estarei entregando armas na fronteira.

Abdullah fez-se entender que tinha falado o bastante. Levantou-se e avisou que precisava sair para um compromisso. Descemos juntos as escadas escuras do prédio sem reboco até retornarmos às vielas estreitas do Saddar Bazaar. O afegão desejou-nos boa sorte e desapareceu no meio da multidão agitada de Peshawar.

Os últimos dias de minha estada em Peshawar coincidiram com grandes agitações. No vizinho Afeganistão, a capital Cabul havia acabado de tornar-se domínio de um bando de muçulmanos ultra-radicais, o até então desconhecido taleban. Por isso mesmo, a cidade estava especialmente insuflada naquele final de setembro de 1996.

Afinal, Peshawar era uma extensão do Afeganistão. Para uma população de trezentos mil paquistaneses, viviam ali mais de dois milhões de afegãos que, como Abdullah, fugiram de sua terra desesperançada.

Sob os céus, caças da força aérea militar do Paquistão controlavam a frágil linha divisória do país. Na terra, as ruas eram sacudidas por movimentos de refugiados. Num claro sinal de desespero, aquela gente apoiava os talebans, acreditando ser eles a saída para o caos em que estavam metidos desde a guerra contra a ex-União Soviética, encerrada em 1989.

Os combates iminentes, que ameaçavam cruzar a fronteira a qualquer momento, além do calor excessivo, mergulhavam Peshawar num mar de tensão. O estado de pressão fazia com que as pessoas se comportassem como se estivessem à beira de uma súbita explosão.

Por pouco não afundamos naquelas ondas de emoções conturbadas. Quase incendiamos nosso hotel e por um triz não terminamos presos numa zona de segurança militar, quando pretendíamos apenas chegar à rodoviária para pegar o ônibus para Islamabad.

Seguimos para a capital paquistanesa apertados numa *van* e debaixo de chuva torrencial. Mas nem o céu coberto por nuvens de chumbo, a tempestade, os campos encharcados e os camponeses correndo em busca de abrigo conseguiram apartar-me das últimas imagens de Peshawar. As casas de chá lotadas de afegãos que traziam no olhar o terror de quem vive acuado pela guerra, os barulhos ensurdecedores de aviões militares, o tráfico pesado de armas e de drogas. A cidade estava febril, denunciando haver ali uma doença grave.

Algumas horas depois estávamos em Islamabad, de onde seguimos até Lahore, a capital cultural do Paquistão, próxima à fronteira indiana. De lá, voamos para Nova Delhi, na Índia, e depois para o Nepal, onde ficamos até o final de novembro, antes de retornar ao Brasil. Quando o avião levantou vôo de Lahore, em direção ao céu impressionantemente estrelado, debrucei-me na janela para observar o Paquistão, pela última vez naquela viagem.

As luzes da cidade cintilavam lá embaixo. Depois, o avião penetrou no escuro da noite e não pude ver mais nada.

A viagem ao inesperado mundo islâmico havia sido tão longa e intensa que ultrapassara os limites da estrada. Era parte de minha vida.

FIM

Glossário

Alá — O único e verdadeiro Deus.

Alcorão — O livro sagrado do islamismo.

Azan — Chamado muçulmano para as orações.

Bagh — Jardim.

Burca — Vestimenta que cobre todo o corpo da mulher, com uma tela na altura dos olhos, e usada em regiões fundamentalistas.

Califa — Sucessor de Maomé, na qualidade de guia ou líder espiritual da comunidade muçulmana.

Chaykhana — Casa de chá, nas línguas túrquicas.

Charpoi — Cama de cordas amarradas em estrutura de madeira.

Dervixe — Asceta sufi.

Dopi — Chapéu preto com quatro lados e bordado em branco, muito usado entre os muçulmanos da Ásia Central.

Emir — Chefe, príncipe.

Faquir — Do árabe, pobre. Mas o significado é de uma pessoa que optou por uma vida de privações para atingir a perfeição espiritual.

Hadith — Provérbios e atos do profeta Maomé.

Hadji — Peregrinação a Meca, o centro espiritual do islamismo.
Ibn — Filho de, em árabe.
Imam — Sacerdote muçulmano que dirige as preces numa mesquita.
Inshallah — Do árabe para a expressão "se Deus quiser".
Islã — Em árabe, submissão.
Ismaelitas — Adeptos de uma seita xiita do século IX, criada pelo profeta Ismael.
Jihad — Guerra Santa, interpretada como a guerra de direito em defesa dos princípios do Islã.
Khan — Título de honra.
Madrassa — Seminário onde se estuda o Alcorão.
Manas — Herói lendário reverenciado no Quirguistão.
Muezim — Religioso que convoca, do alto dos minaretes, os fiéis às cinco orações do dia.
Mujaheddin — Guerreiros muçulmanos engajados na jihad, ou Guerra Santa.
Mulá — Personalidades religiosas, doutores da lei corânica.
Nan — Pão parecido com o pão árabe.
Paxá — Título não hereditário dos governadores no Império Otomano.
Paranja — Véu que cobre o corpo da mulher, o mesmo que o xador iraniano.
Purdah — Costume paquistanês, também praticado em comunidades tradicionais, em deixar as mulheres reclusas. Mulheres em purdah usam burcas em público.
Qawwali — Canto devocional sufi.
Ramadã — O nono mês no calendário muçulmano, quando se pratica o jejum entre o nascer e o pôr-do-sol.
Salaam aleikum — Cumprimento tradicional no mundo muçulmano, que significa "a paz esteja com você".
Salat — Oração praticada cinco vezes ao dia.

Sharia — Lei do Islã.
Shalwar qamiz — roupa masculina e feminina tradicional do Paquistão, que consiste numa camisa de mangas compridas até os joelhos, usada sobre calças bastante largas amarradas na cintura.
Sufis — Místicos e ascetas muçulmanos.
Sunitas — Seguidores da suna, o conjunto de pronunciamentos de Maomé. Se opõem aos xiitas.
Umma — A comunidade muçulmana.
Xiitas — Seguidores da crença de que a sucessão religiosa e política de Maomé deveria ter se restringido a descendentes e membros da família do profeta. Crêem ser Ali o legítimo sucessor de Maomé, seu sogro.
Zakat — Esmola para os pobres. Um dos cinco pilares do Islã, juntamente com a profissão de fé, a oração, a peregrinação e o jejum.

AGRADECIMENTOS

Este livro tornou-se possível com a ajuda de amigos que, de uma forma ou outra, compartilharam dos projetos das viagens. Sou também eternamente grato à generosidade e ao auxílio das muitas pessoas com quem cruzei pelas estradas. Algumas delas estão nas páginas deste livro. Às outras, minha lembrança e gratidão são para sempre, assim como para as que se seguem:

Alakha Shakti, pela acolhida em Kathmandu, no final da viagem; Anwar Rejep, do departamento de línguas estrangeiras da Universidade Xinjiang, em Urumqi; Aysa Hajim, em Kashgar; Bilek Shakirov, diretor da Filarmônica de Bishkek; Benedito e Vicentina Porto; Canal de São Paulo; Célia Nogueira; Clarice Caldas, da CLARA Comunicação, de São Paulo, pelo incentivo e leitura atenta; equipe da DGT Filmes, de São Paulo; Edmundo Barreiros, da Editora Record, pelo estímulo; Fotoptica; Gerson Porto; Gilberto Bonfatti Jr.; Hamdul Keyim, professor de inglês em Turpan; pessoal do John's Cafe, em Kashgar; famílias de Jenish Aliebekov e de Tenty Jamanakov, no Quirguistão; Juraiev Mohammad, artista de Bukhara; Márcia Sztajn, da Mundus

Travel; Oleg Shevtsov, no Parque Nacional de Ak-Suu, Quirguistão; Patrícia Palumbo, da Rádio Eldorado, de São Paulo; Rainer Stabroth, da Lufthansa; Shaeed-e-Millat, em Gilgit; Spiridonov Constantyn, presidente da Associação de Turismo de Karakol; Tomica's; Tommy Huang, da Gladtur.

Este livro foi composto na tipologia Goudy Old Style, em corpo 11/15, e impresso em papel Offset 90g/m² no Sistema Cameron da Divisão Gráfica da Distribuidora Record.